D0835823

ANNE HOOPER

LE GUIDE DES AMANTS

A DORLING KINDERLEY BOOK

Cet ouvrage a paru en anglais sous le titre :
Pocket Sex Guide.

Création et édition : Carroll & Brown Limited
Éditeur : Amy Carroll
Directeur artistique : Alan Watt
Photographes : Ranald MacKechnie, Paul Robinson
Design : Howard Pemberton
Traduction : Production Liber

ISBN 2-89249-584-9

Dépôt légal – 4e trimestre 1994
Bibliothèque nationale du Québec
Imprimé en Grande-Bretagne

Éditions du Trécarré
Saint-Laurent (Québec) Canada

introduction

Une récente émission de télévision révèle que seuls 21 pour cent des hommes interrogés savent réellement où est le clitoris d'une femme. Les partenaires des 79 pour cent restants doivent vivre un calvaire, d'autant que l'enquête établissait un lien profond entre les connaissances en matière de sexe et la capacité à donner du plaisir.

De même, les femmes qui consultent parce qu'elles n'arrivent pas à atteindre l'orgasme ne savent généralement rien de leur propre fonctionnement sexuel. Le plus souvent, lorsqu'elles sont mieux informées de leur anatomie et de leur sexualité, elles découvrent l'orgasme. Dès lors, elles ont plus confiance en elles et leurs partenaires prennent plus de plaisir.

Cependant, devenir un bon amant exige plus qu'une simple leçon d'anatomie et de « technique ». Il est nécessaire que le sujet soit à l'aise avec les questions sexuelles, et ouvert aux idées et suggestions nouvelles. Pour atteindre cette aisance, il faut parler de sexe, lire des ouvrages consacrés à ce sujet, et regarder des photos suggestives — en bref, apprendre à s'ouvrir à un sujet jusqu'à présent très intime.

Un guide de poche peut, par nature, être emporté partout, traité sans cérémonie, lu par portions, prêté à des amis, ou encore être étudié et dégusté avec un partenaire. Sa taille le rend moins intimidant qu'un gros volume, et permet de traiter du sujet avec décontraction. La liste des ouvrages de poche sur le sexe est longue et ancienne ; ils ont fait l'objet de rires et de jeux entre amants depuis des centaines d'années. Les Japonais de l'ancien temps les étudiaient dans les moindres détails, les Anglais de l'époque victorienne en cachette, et les Edouardiens avec bonne humeur et la moustache égrillarde. L'ouvrage que

nous présentons aujourd'hui vous offre la vision de corps magnifiques, enlacés dans les postures artistiques de l'amour. Nous espérons que cette véritable fête pour l'œil vous plaira et alimentera vos fantasmes et votre imagination.

D'un point de vue pratique, ces pages sont pleines d'informations illustrées. Si vous faites de cet opuscule votre livre de chevet, ennui et manque de doigté n'auront plus droit de séjour chez vous. Souvenez-vous que les mains et la langue sont les outils les plus sensuels de l'acte d'amour, et que le cerveau, avec son immense capacité à créer idées et images, est l'organe le plus érotique de tous. Ce petit ouvrage a donc été conçu pour stimuler votre imagination. J'espère sincèrement qu'il enrichira des centaines de nuits de printemps, d'après-midi d'été, de soirées d'automne et de matins d'hiver avec votre amant.

chapitre un

L'AMANT EXPERT

L'EXCITABILITÉ

L'excitation des hommes et des femmes est provoquée par des facteurs différents, leur durée varie, mais leurs phases sont identiques.

L'EXCITABILITÉ DE LA FEMME

Elle est plus longue à s'élaborer, mais dure plus longtemps que chez l'homme, et est plus facilement ranimée.

L'EXCITATION

Lors des préliminaires, le vagin s'allonge et se lubrifie. Le col de l'utérus et l'utérus s'étirent vers l'arrière et le haut, et les grandes et petites lèvres se gonflent. La femme est prête à la pénétration.

Le vagin devient humide et le clitoris grossit

Les seins se gonflent et les mamelons pointent

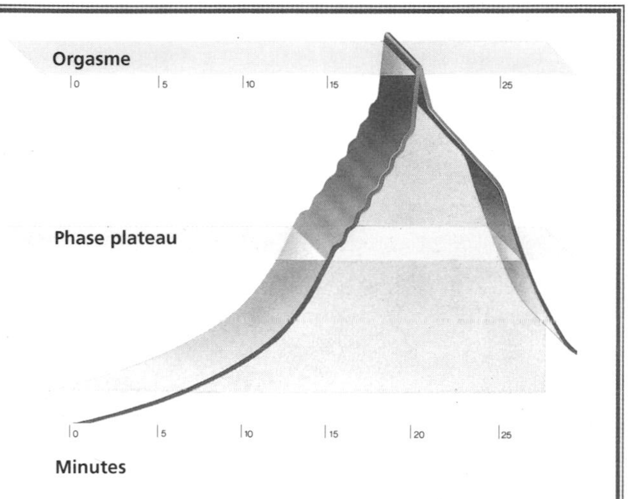

L'ORGASME

L'orgasme d'une femme dépend de la quantité de stimulations reçues par son clitoris, que ce soit par contact du pénis ou par manipulation manuelle ou orale. À partir de la phase plateau, sa tension sexuelle s'intensifie jusqu'à culminer en contractions orgasmiques.

LE RELÂCHEMENT

Après 10–15 minutes, la sensation de jouissance s'atténue, tandis que le clitoris et les lèvres reprennent leur taille habituelle. Certaines femmes, si elles sont à nouveau stimulées, peuvent avoir d'autres orgasmes.

L'EXCITABILITÉ MASCULINE

L'excitation de l'homme est plus rapide que celle de la femme, mais elle dure moins longtemps. Suffisamment excité, l'homme atteint systématiquement l'orgasme.

L'EXCITATION

Une fois qu'un homme est lancé, son cerveau transmet un signal aux organes génitaux par l'intermédiaire de la moelle épinière, qui envoie du sang dans le pénis, ce qui provoque l'érection. L'organe, normalement mou et pendant, devient rigide et pointe vers le haut ; le scrotum se rapproche du corps, et les testicules grossissent.

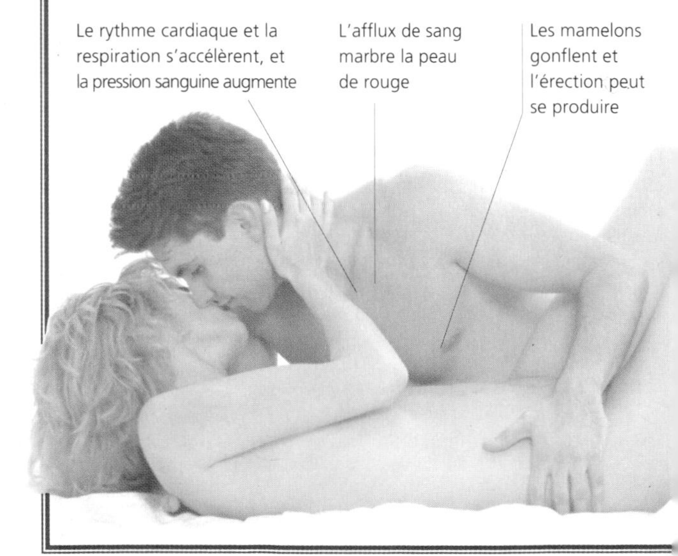

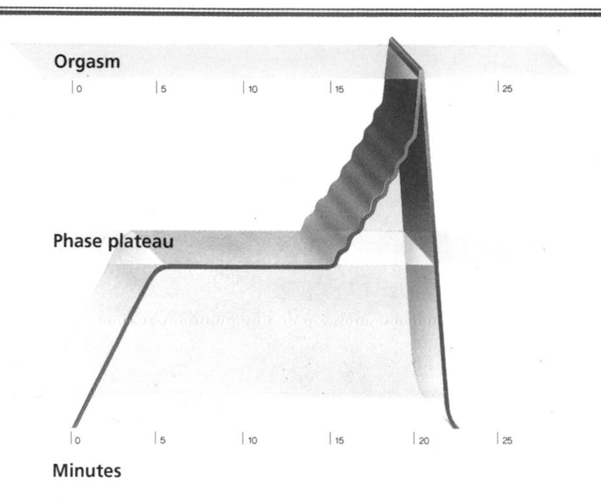

L'ORGASME

Un homme peut rester au même niveau de sensation jusqu'à ce qu'il pénètre sa partenaire. Ensuite, sa tension sexuelle s'intensifie rapidement avec le mouvement, jusqu'à ce que les muscles de l'urètre et du pénis se contractent et éjaculent le sperme. La jouissance est généralement immensément agréable.

LA DÉTUMESCENCE

Après l'éjaculation, le pénis devient flasque et l'excitation de l'homme chute. La plupart des hommes entrent alors dans une phase, de durée variable, où il leur est impossible d'avoir une autre érection.

LES ORGANES SEXUELS MASCULINS

Les organes sexuels visibles sont le pénis et le scrotum. À l'intérieur du scrotum se trouvent les testicules et les épididymes, où sont fabriqués et stockés les spermatozoïdes. Les organes internes sont la prostate, le canal déférent et les vésicules séminales.

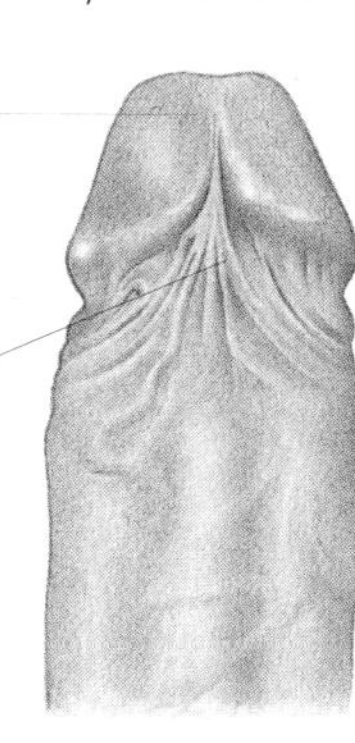

Le gland (tête) du pénis est plein de terminaisons nerveuses

Le frenulum, sur la face inférieure du pénis, au point d'attache du gland, est très sensible

LE PÉNIS

C'est le principal organe du rapport sexuel ; un pénis au repos mesure en moyenne 9,5 cm de long. Avec l'excitation, les vaisseaux sanguins qu l'irriguent se remplissent et le font gonfler, ce qui provoque l'érection et permet la pénétration

LA CIRCONCISION

L'ablation chirurgicale du prépuce peut être pratiquée pour des raisons religieuses ou d'hygiène. Contrairement au mythe populaire, un homme circoncis n'est ni plus ni moins sensible qu'un autre, et sa capacité à contrôler son éjaculation ne s'en trouve pas affectée.

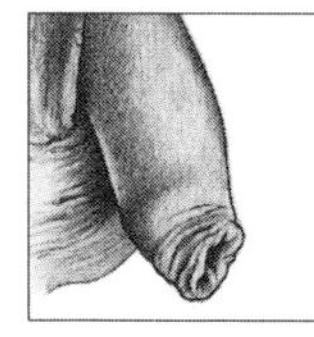

Incirconcis

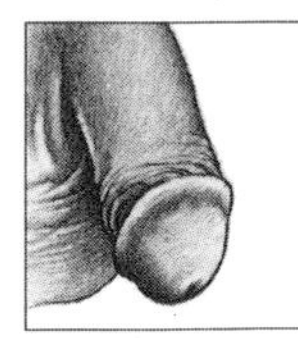

Circoncis

Vésicule séminale
Il y en a deux, une de chaque côté de la vessie. Elles produisent le liquide séminal visqueux qui, avec les spermatozoïdes, compose l'éjaculat.

Canal déférent
Ces deux tubes transportent les spermatozoïdes des épididymes aux vésicules séminales avant l'éjaculation.

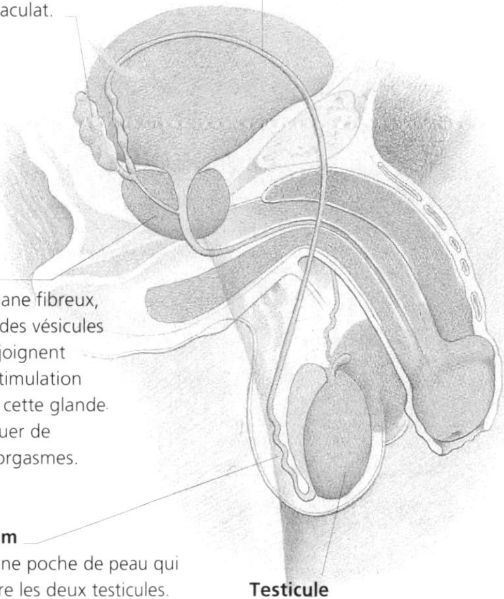

Prostate
Dans cet organe fibreux, les conduits des vésicules séminales rejoignent l'urètre. La stimulation manuelle de cette glande peut provoquer de merveilleux orgasmes.

Scrotum
C'est une poche de peau qui recouvre les deux testicules. Sous la peau se trouve une couche musculeuse qui se contracte et fait remonter les testicules vers l'aine.

Testicule
L'un des deux organes mous et ovales servant à produire les spermatozoïdes et des hormones mâles telle que la testostérone.

LES ORGANES SEXUELS FÉMININS

La vulve est la partie la plus accessible des organes sexuels d'une femme ; elle se compose du clitoris, des grandes et petites lèvres, et de l'orifice vaginal. Son aspect et sa sensibilité sont très variables d'une femme à l'autre.

LE CLITORIS

C'est la partie érotiquement la plus sensible du corps féminin ; i contient de très nombreuses terminaisons nerveuses qui le rendent extrêmement sensible à la stimulation. L'excitation clitoridienne directe, avec les doigts, la langue ou le pénis, est la seule façon dont la plupart des femmes atteignent l'orgasme.

Clitoris
Il mesure 2—3 cm de long et est replié vers l'arrière ; lors de l'excitation, il double de taille et se dresse.

Petite lèvre
Les petites lèvres produisent un sébum qui contribue à la lubrification du vagin lors de l'excitation sexuelle.

Grande lèvre
Les grandes lèvres contiennent des glandes sébacées et apocrines ; ces dernières produisent une odeur attirante.

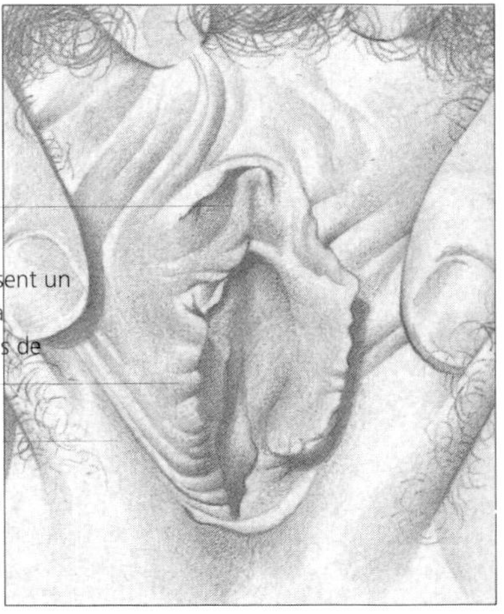

LE VAGIN

Ce tube fibro-musculaire mesure en moyenne 8 cm de long, mais s'allonge avec l'excitation et s'élargit pour accueillir n'importe quel pénis. Quand une femme est suffisamment excitée, le vagin est lubrifié par un liquide laiteux. Pendant l'orgasme, les parois du vagin se contractent et retiennent le pénis ; la sensation qui en résulte est extrêmement agréable pour les deux partenaires.

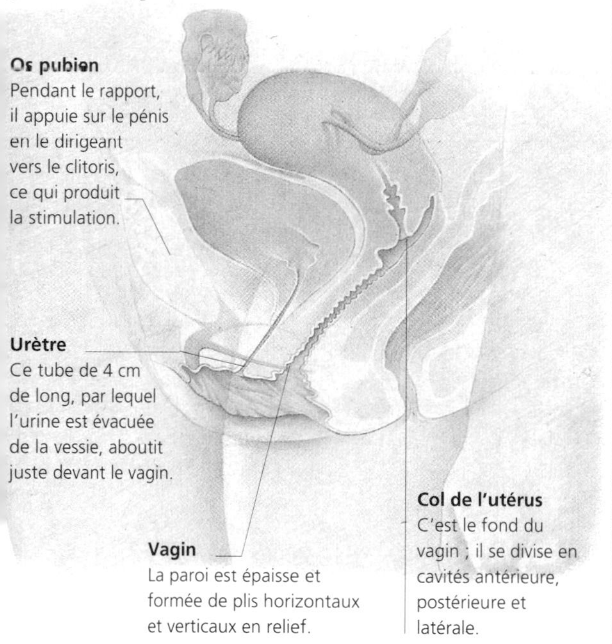

LE POINT G

Constitué de terminaisons nerveuses, de canaux, de glandes et de vaisseaux sanguins, il est considéré comme une zone érogène interne. Bien qu'il ne soit pas repérable normalement, il gonfle lors de la pénétration vaginale, et procure à certaines femmes des sensations très agréables.

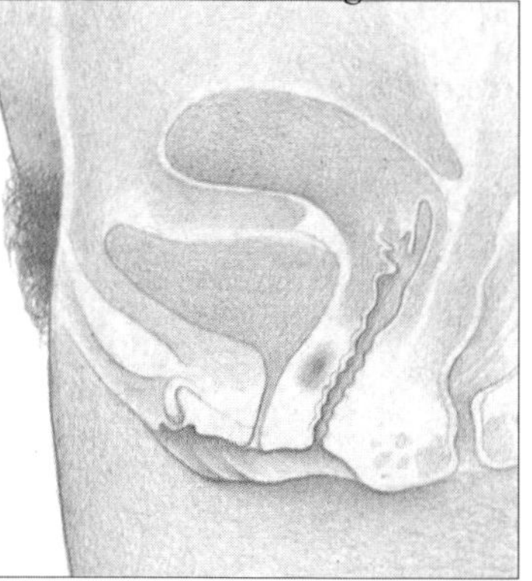

OÙ EST-IL ?

Le point G fut « découvert » par le gynécologue allemand Ernst Grafenburg, sur la paroi antérieure du vagin. Il semble qu'il constitue une zone hyper-sensible chez certaines femmes, mais toutes ne le trouvent pas facilement ; il faut parfois recourir à des explorations, seule ou à deux.

LA STIMULATION DU POINT G

Votre partenaire étant assise ou couchée, insérez un doigt dans son vagin et utilisez-le pour faire pression sur la paroi antérieure vers les deux-tiers de sa hauteur. Le point G devrait gonfler lorsque vous y touchez.

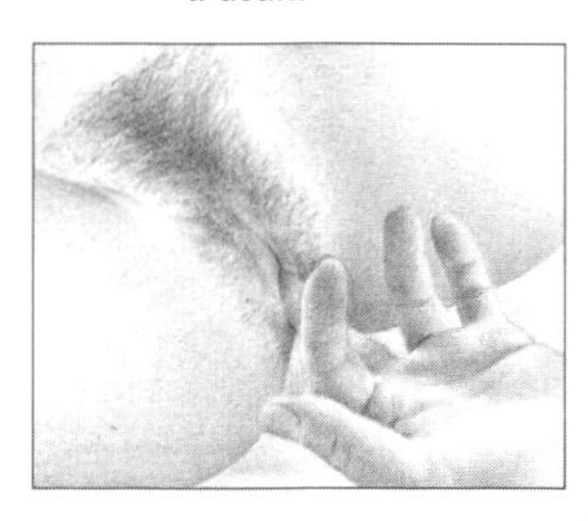

LA STIMULATION DU POINT G PENDANT LE RAPPORT SEXUEL

Toutes les positions impliquant une pression durable sur la paroi antérieure du vagin sont susceptibles de stimuler le point G. Les positions où la femme est sur l'homme sont particulièrement efficaces, car la partenaire peut ainsi contrôler la profondeur de la pénétration. La pénétration par derrière est également gratifiante, grâce à l'angle d'approche du pénis dans le vagin. L'homme peut participer au plaisir en bougeant son corps et en contrôlant son pénis pour que le gland touche le point G.

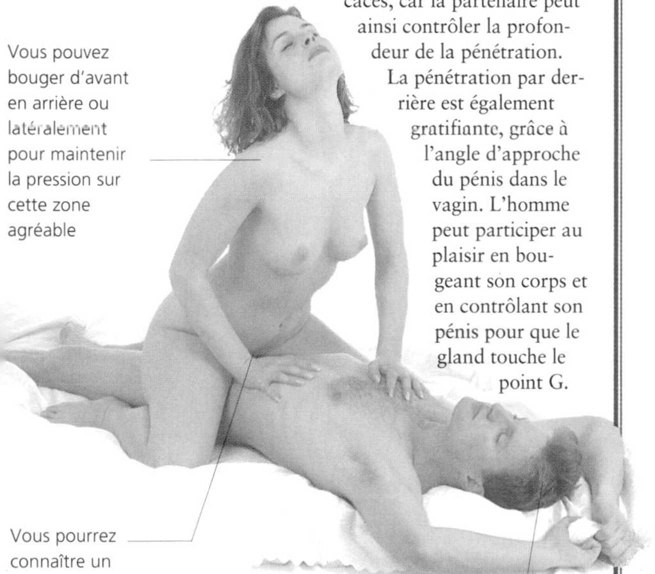

Vous pouvez bouger d'avant en arrière ou latéralement pour maintenir la pression sur cette zone agréable

Vous pourrez connaître un orgasme intense si votre point G est suffisamment stimulé par votre partenaire

Concentrez-vous sur le contact de votre pénis avec la paroi antérieure du vagin, au lieu de fourrager continuellement

L'AMOUR SANS DANGER

Les pratiques sexuelles qui évitent l'échange de sécrétions corporelles entre les partenaires protègent de la transmission du virus VIH, du SIDA, et d'autres maladies sexuellement transmissibles. Les relations sans danger impliquent généralement l'abstention de pénétration ou l'usage de préservatifs. À moins de vivre une relation régulière, monogame et durable avec un partenaire dont vous connaissez les antécédents, il est recommandé d'utiliser un préservatif.

Les deux partenaires peuve
sans risque se livrer à
des massages, baisers,
masturbation
réciproque
et autres
mignardises
sexuelle

Préservatifs
Il en existe pour les deux sexes ; ils évitent le contact avec le sperme ou les sécrétions vaginales du ou de la partenaire.

éservatif
minin

« Capotes anglaises »

ACTIVITÉS À HAUT RISQUE

- Pénétration anale sans préservatif
- Rapport vaginal sans préservatif
- Partage d'accessoires servant à la pénétration, comme les vibromasseurs
- Toute activité provoquant des saignements, intentionnels ou non
- Insertion des doigts dans l'anus

ACTIVITÉS À MOINDRE RISQUE

- Rapport vaginal avec préservatif
- Fellation ou cunnilingus avec un préservatif ou une protection en latex
- Baiser profond (le risque augmente si vos gencives saignent ou si vous avez un bouton de fièvre)
- Frottement des parties génitales contre le corps du ou de la partenaire

UTILISER UN PRÉSERVATIF

Le préservatif, en plus d'être une forme de contraception efficace, fait barrière aux maladies sexuellement transmissibles. Bien qu'il soit souvent considéré comme un « tue l'amour », il peut augmenter les sensations érotiques s'il est appliqué avec doigté. Vérifiez que le préservatif que vous utilisez n'a pas dépassé la date de péremption, et que le paquet porte le label de qualité NF. Les produits signalés comme des exhausteurs de sensations (nervurés, parfumés ou de forme particulière) ne sont pas fiables du point de vue contraceptif ou prophylactique.

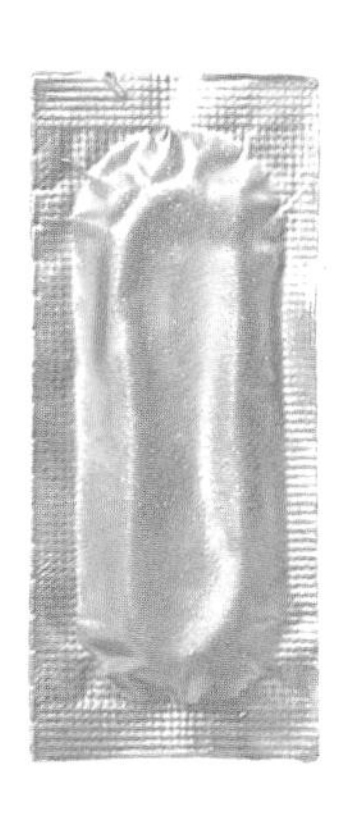

1 Votre partenaire doit être en érection ; un massage génital sensuel l'y aidera. Ouvrez le paquet soigneusement pour ne pas abimer le préservatif.

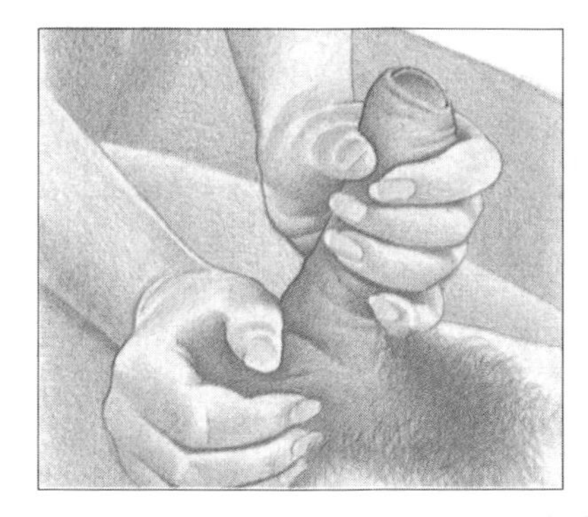

2 Placez le préservatif roulé sur le haut du pénis et, à l'aide de votre pouce et de votre index, évacuez l'air de son extrémité (pendant le rapport, une bulle d'air peut provoquer l'éclatement du préservatif).

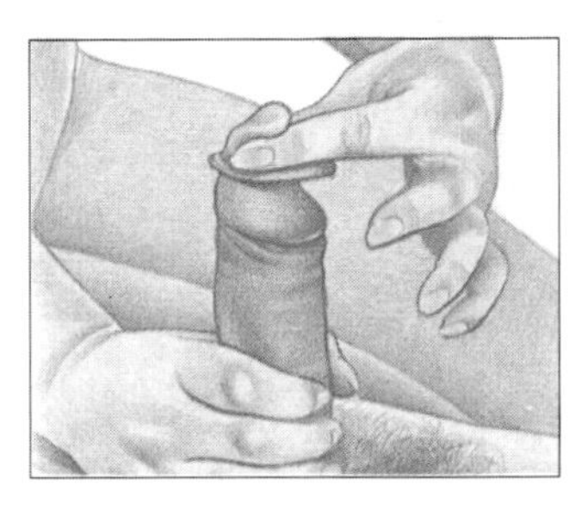

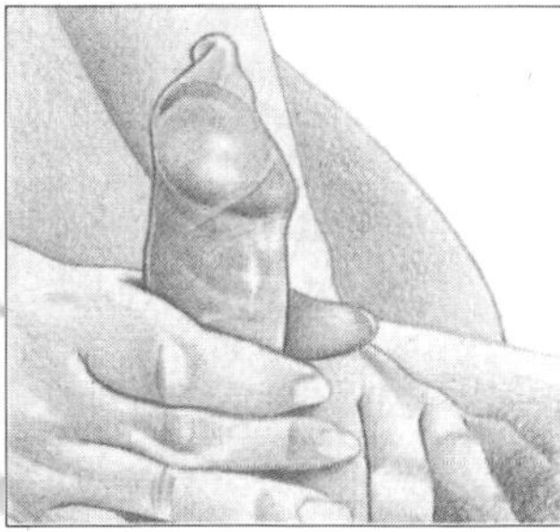

3 Tenez d'une main le pénis de votre partenaire à la base, et de l'autre, déroulez le préservatif sur la verge. S'il n'est pas circoncis, repoussez son prépuce avant de poser le préservatif.

4 Une fois que votre partenaire a éjaculé, mais avant que son érection ne décroisse, il devra se retirer de votre vagin, en maintenant le préservatif en place par la base. Jetez le préservatif en prenant garde de ne pas laisser sortir le sperme.

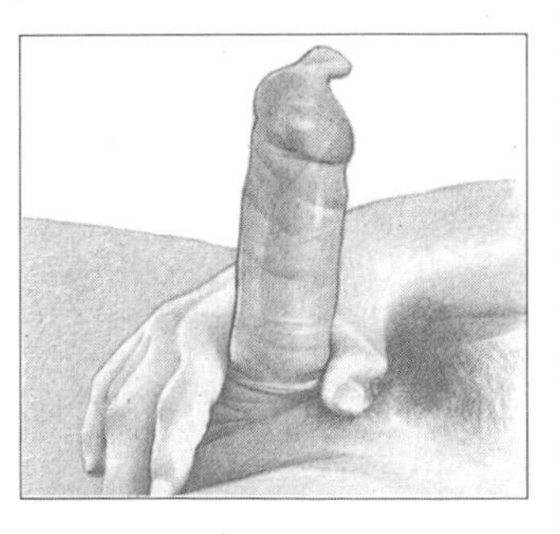

LA MASTURBATION MASCULINE

Un homme peut apprendre beaucoup de choses sur sa propre sexualité en se masturbant. S'il partage cette connaissance avec sa partenaire, tous deux parviendront souvent à un plaisir plus grand. En matière de comportement sexuel, l'accroissement d l'expérience contribue généralement au bonheur du couple.

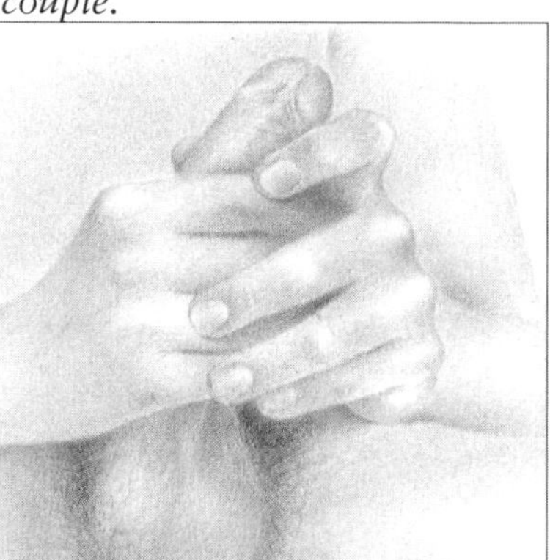

L'EXPLORATION Pressez doucement votre verge sur toute sa longueur, puis concentrez-vous sur le gland et le frenulum ; ce sont les parties les plus sensibles du pénis. Associez à ces caresses des mouvements ascendants du pelvis.

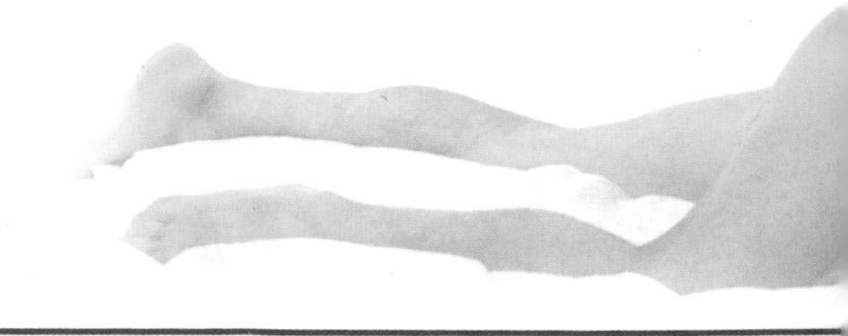

L'ESSENTIEL EST DANS LA DURÉE

Beaucoup d'hommes essaient de précipiter les choses et de jouir trop rapidement ; il peut en résulter des problèmes de technique et d'éjaculation précoce par la suite. Procédez par lentes pressions d'intensités différentes, et laissez libre cours à vos fantasmes.

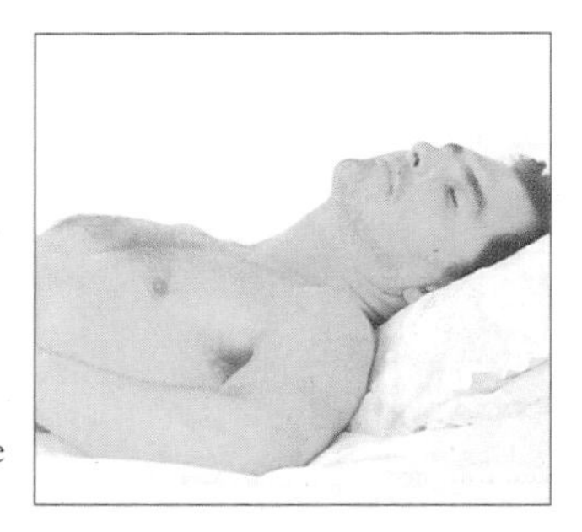

FAITES PARTICIPER TOUT VOTRE CORPS

Effleurez tout votre corps, en insistant légèrement sur les points les plus sensibles. Faites courir vos doigts sur votre visage, vos mamelons, votre poitrine et entre vos cuisses, avant de toucher à vos organes génitaux. N'ayez pas peur de vous laisser aller ; ne vous préoccupez ni de votre respiration ni des sons que vous pourriez émettre.

Serrez les jambes en rythme ; montez et baissez les cuisses pour renforcer vos sensations

Utilisez un lubrifiant tel qu'une huile de massage pour que votre toucher soit plus fluide et sensuel

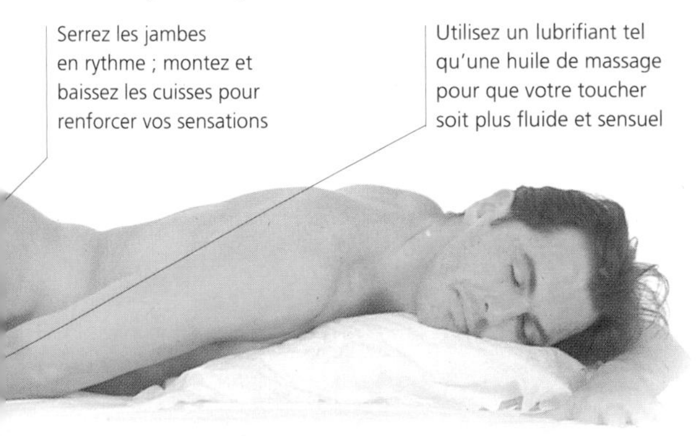

LA MASTURBATION FÉMININE

Avant qu'une femme puisse faire part de ses besoins sexuels à un homme, elle doit les découvrir elle-même. La masturbation est le meilleur moyen d'explorer sa propre sexualité et d'augmenter le plaisir du couple.

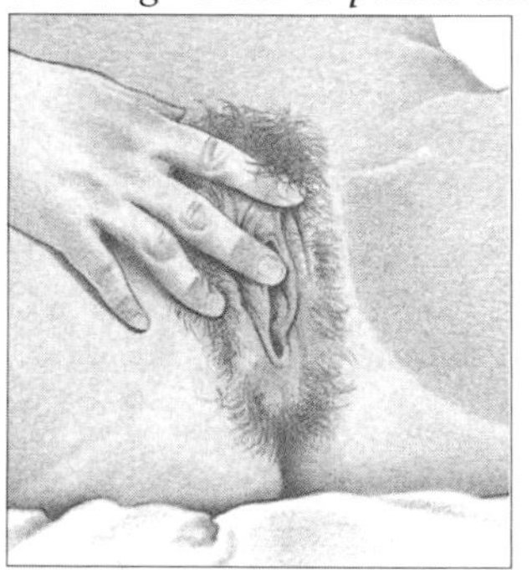

LA STIMULATION CLITORIDIENNE

Certaines femmes aiment masser leur clitoris entre leurs doigts, d'autres décrire des mouvements circulaires sur toute la zone clitoridienne, d'autres encore préfèrent titiller légèrement le bout du clitoris.

LAISSEZ-VOUS ALLER

Mettez-vous dans une situation d'intimité où vous pourrez découvrir des sensations agréables. Utilisez vos fantasmes pour augmenter votre excitation, et explorez votre corps par des touchers de vitesses et de rythmes différents, puis faites bouger votre pelvis, en serrant les cuisses. Le mouvement et les sons accroîtront l'intensité.

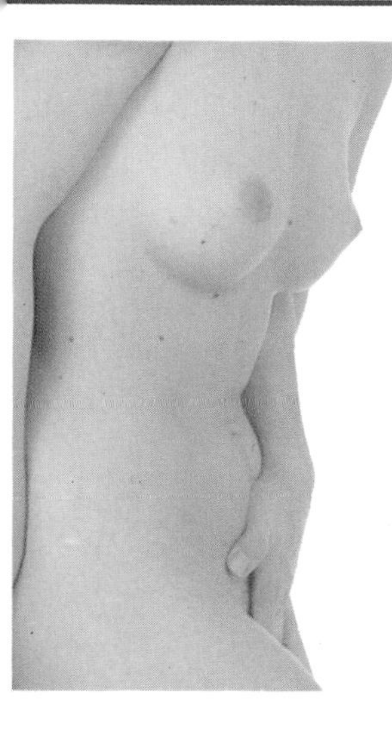

CARESSEZ TOUT VOTRE CORPS

Commencez par de légères pressions sur tout votre corps, puis augmentez la pression et le rythme jusqu'à ce que vous atteigniez les points les plus sensibles. Attardez-vous sur les mamelons et les seins, avant d'aborder l'intérieur des cuisses et les organes génitaux. Caressez votre vulve sur toute sa longueur avant d'y pénétrer. Ensuite, quand vous êtes assez lubrifiée, glissez vos doigts dans votre vagin. Serrez les cuisses pour accroître la pression sur votre région génitale.

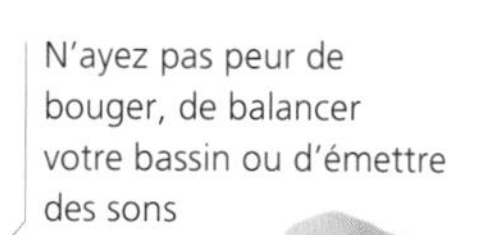

UTILISER UN VIBROMASSEUR

Utilisé par les femmes surtout, il peut donner des sensations explosives chez celles qui ont des difficultés à atteindre l'orgasme par la pénétration, et accroître le plaisir . Un homme peut l'utiliser pour exciter sa partenaire pendant le rapport, ou l'appliquer sur son pénis.

VIBRATORS

Placés sur n'importe quelle terminaison nerveuse, ces accessoires provoquent des sensations érotiques, surtout dans les régions génitales des hommes et des femmes.

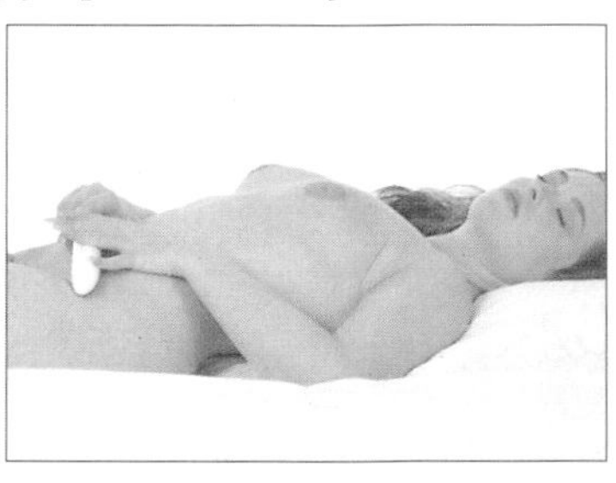

Utilisez le vibromasseur sur votre orifice vaginal, entre vos cuisses et sur votre périnée, ainsi que sur votre clitoris

LES FEMMES ET LES VIBROMASSEURS

Si vous utilisez un vibromasseur, l'orgasme est pratiquement garanti ; la sensation peut être semblable, ou plus intense, que celle ressentie par contact manuel ou du pénis.

chapitre deux

PRÉLIMINAIRES FANTASQUES

L'EFFEUILLAGE

La stimulation visuelle peut être très excitante. Vous pouvez ajouter une touche d'érotisme à votre rapport en vous déshabillant de manière provocante devant votre partenaire. De même, il est très excitant d'être déshabillé(e) par un partenaire. Jouez tour à tour le membre exhibitionniste ou passif du duo. Portez des sous-vêtements sortant de l'ordinaire, ou que votre partenaire apprécie.

Détournez-vous de votre partenaire pour rendre le jeu plus érotique

DÉSHABILLEZ-VOUS

Déplacez vos mains sur votre corps très lentement et de manière provocante. Faites des mouvements langoureux en enlevant chaque vêtement.

CHACUN SON TOUR

Traitez toujours votre partenaire avec sensibilité. Donnez-lui baisers et caresses à chaque fois qu'un vêtement tombe.

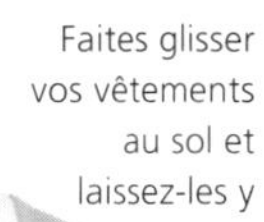

Faites glisser vos vêtements au sol et laissez-les y

DÉSHABILLEZ VOTRE PARTENAIRE

Faites un jeu de lui enlever ses vêtements. Une fois ôtés, utilisez-les pour provoquer et titiller votre partenaire.

LES ZONES ÉROGÈNES

De la tête aux pieds, la sollicitation de certaines parties de votre corps peut procurer des sensations érotiques. Certaines de ces zones érogènes, comme les lèvres et les seins, sont les mêmes pour tout le monde. Les autres varient d'un individu à l'autre.

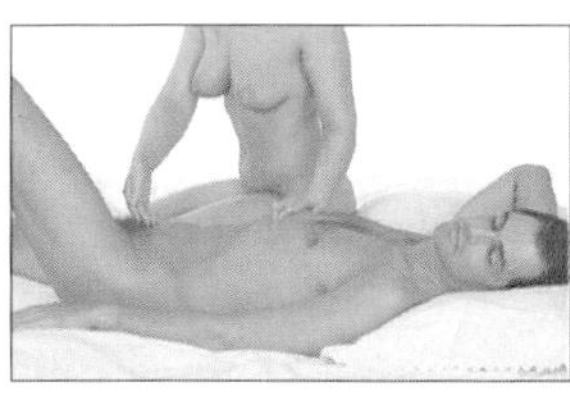

LES ORGANES GÉNITAUX

Ils constituent les parties les plus érogènes du corps, car ils contiennent le plus grand nombre de terminaisons nerveuses sensuelles.

LA TÊTE ET LE COU

Pleins de récepteurs sensoriels et nerveux, les lèvres, le cou et le lobe des oreilles sont sensibles.

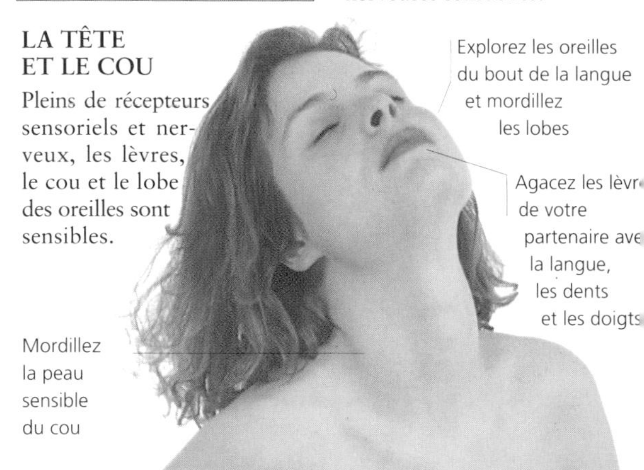

LA POITRINE

La partie supérieure du corps masculin, surtout ses mamelons, réagissent agréablement aux caresses et aux baisers.

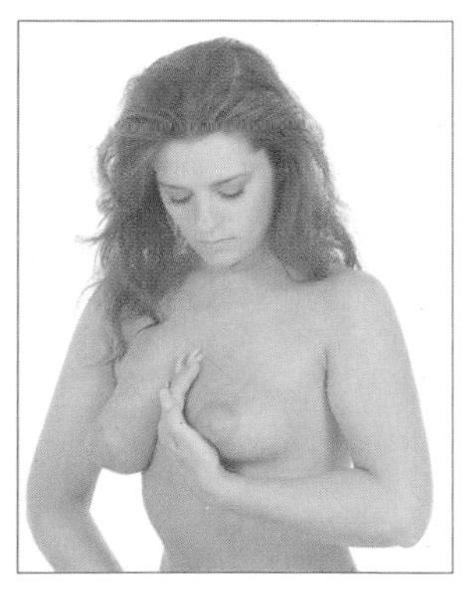

LES SEINS

Les mamelons et leur auréole sont extrêmement sensibles au toucher ; les mamelons pointent lorsqu'ils sont embrassés ou suçotés. Certaines femmes racontent que la seule stimulation des mamelons peut les amener à l'orgasme. Commencez par effleurer les mamelons de votre partenaire du bout des doigts, puis augmentez la pression et suçotez-les.

LES PIEDS

On les néglige souvent. Il est très érotique de suçoter et de masser les orteils. Concentrez-vous sur la peau entre les orteils, la plante des pieds et leur cambrure. Pour éviter de chatouiller votre partenaire, caressez-le ou la d'une main ferme, en décrivant des mouvements circulaires.

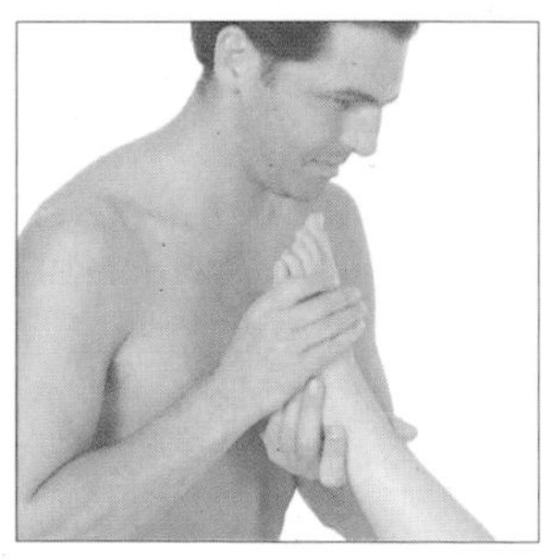

LE BAISER

Les lèvres et la langue étant les parties les plus sensibles du corps, le baiser approfondi peut être aussi érotique que le rapport sexuel.

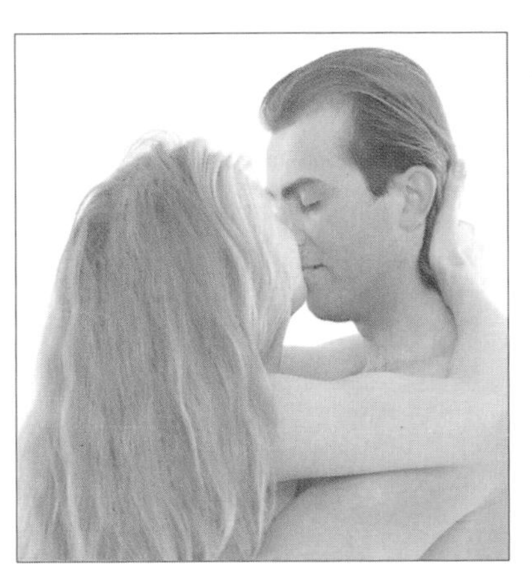

BOUCHE CONTRE BOUCHE
Les lèvres, la langue et l'intérieur de la bouche sont sensibles à la stimulation. Variez la gamme de vos baisers, doux et complaisants, ou durs et exigeants.

LE BAISER PROFOND
L'exploration de la bouche, de la langue et des lèvres de votre partenaire avec votre langue contribue à créer une intimité, tout en lui communiquant votre humeur caline. Les couples plus âgés, plus anciens, le négligent parfois.

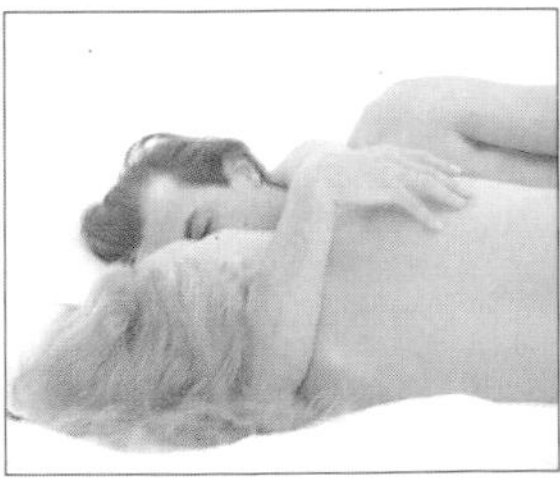

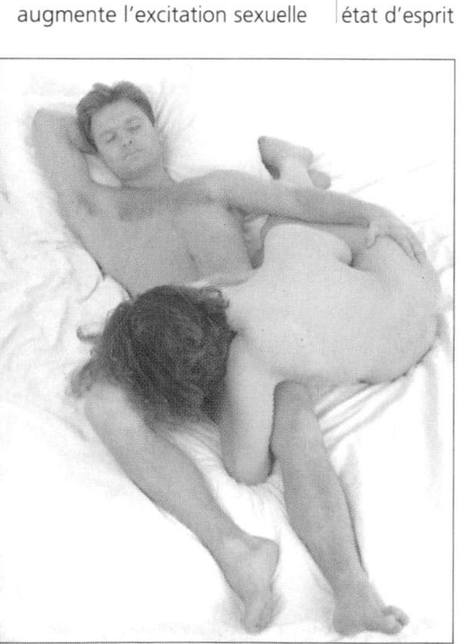

DES BAISERS PARTOUT

Ne vous contentez pas d'embrasser votre partenaire aux endroits habituels. Utilisez votre bouche et votre langue sur tout son corps, sur les zones évidentes, comme les seins et l'intérieur des cuisses, mais aussi sur la zone si sensible derrière les genoux, ou sur les doigts.

CARESSES ET EFFLEUREMENTS

L'une des joies de l'acte sexuel est de donner et recevoir des caresses. L'effort de connaître le corps de votre partenaire, surtout les parties que l'on ne considère généralement pas comme sexuelles, telles que les mains, les bras, les pieds et les mollets, peut être extrêmement gratifiant.

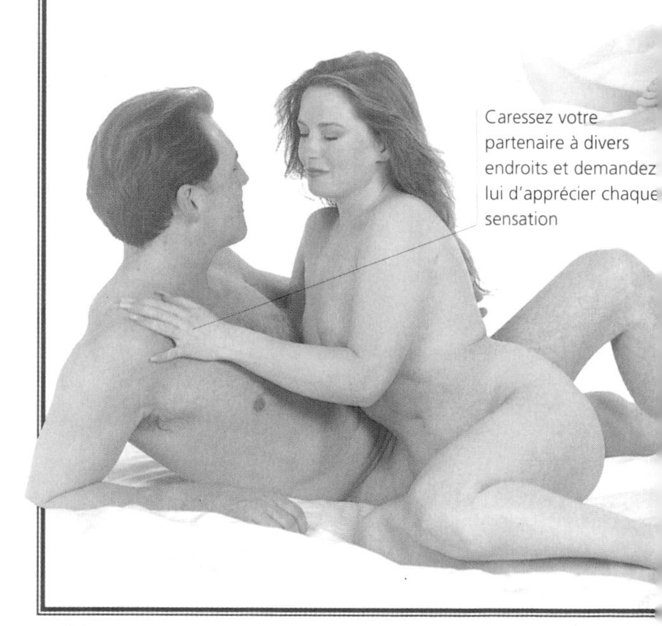

Caressez votre partenaire à divers endroits et demandez lui d'apprécier chaque sensation

GUIDEZ VOTRE PARTENAIRE

Au lieu de dire ce que vous voulez à votre partenaire, mettez votre main sur la sienne, et guidez-la vers l'endroit où vous souhaitez être touché(e).

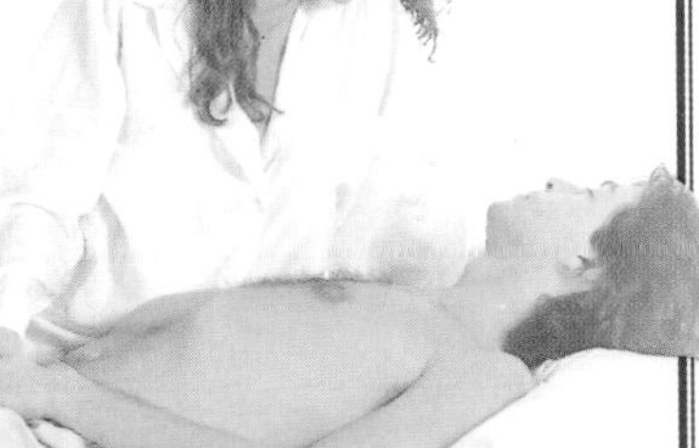

LA DÉCOUVERTE À DEUX

Soyez sensible aux réactions de votre partenaire, et ajustez vos mouvements selon ce qu'il ou elle vous indique.

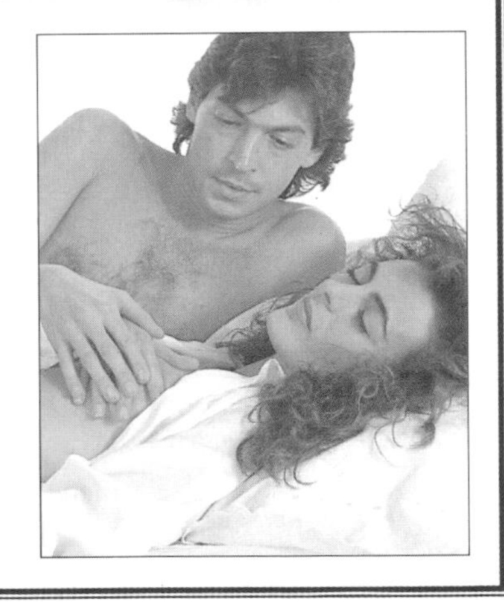

LES ACCESSOIRES ÉROTIQUES

Le degré d'intimité du toucher accroît la communication sexuelle entre les partenaires. Il vous apprend autant vos propres réactions que celles de votre partenaire. Divers accessoires peuvent être utilisés sur tout le corps pour susciter l'érotisme, accroître la gamme et l'intensité des sensations, et varier les rapports.

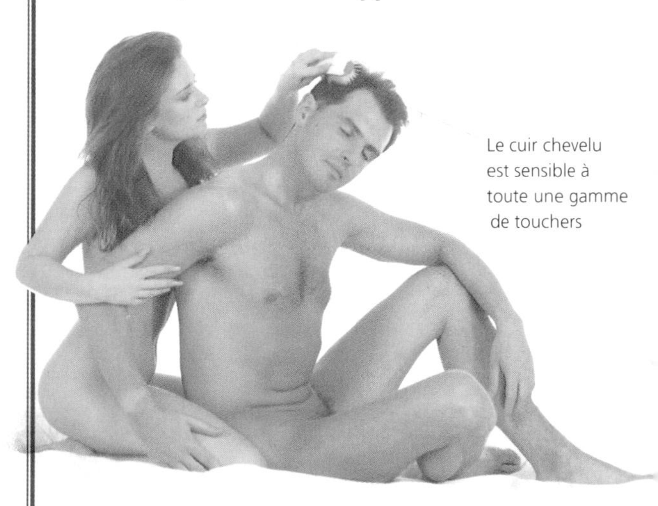

Le cuir chevelu est sensible à toute une gamme de touchers

LES BROSSES DOUCES

Le brossage langoureux des cheveux, associé à de douces caresses sur le corps, est relaxant et apaisant. Sur la peau nue, une brosse douce chatouille et excite.

LES ALIMENTS

Les petits fruits, la crème et le champagne comptent parmi les aliments qu'on peut poser, étaler ou écraser sur le corps du ou de la partenaire, avant de les manger, les sucer ou les laper. Un positionnement stratégique augmentera leur portée érotique.

LES MASQUES

Le fait de masquer les yeux de votre partenaire décuple la sensation d'attente ; comblez-la avec des caresses soyeuses. Titillez-le ou la avec des sensations inattendues.

LA PEINTURE CORPORELLE

La peinture lavable et non toxique est un accessoire sensuel pour les deux partenaires. Il est aussi agréable d'y plonger les doigts et de s'en barbouiller soi-même que de l'appliquer sur le partenaire. Utilisez-la pour signaler des zones « spéciales ».

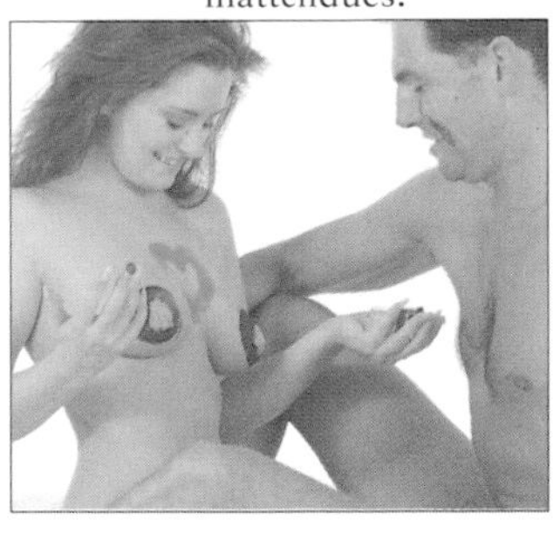

LE MASSAGE SENSUEL

Le contact étroit des corps peut augmenter la sensualité et créer l'ambiance propice au rapport sexuel. Les partenaires doivent être détendus ; prenez donc les précautions nécessaires pour ne pas être dérangés, et chauffez suffisamment la pièce. Déshabillez-vous, et utilisez une huile parfumée, réchauffée entre vos mains, pour donner plus de fluidité à vos mouvements.

Ne pensez qu'à apprécier les sensations que vous ressentez

Adoptez une position confortable ; le contact de deux épidermes est excitant

Commencez par de doux mouvements exploratoires sur tout le corps de votre partenaire

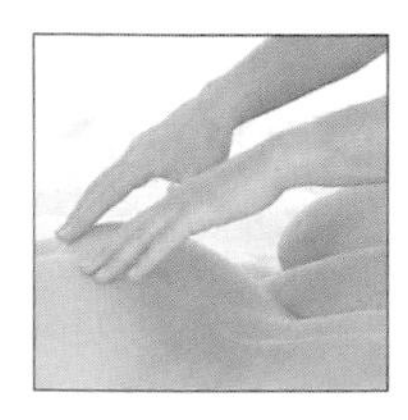

LES EFFLEUREMENTS

Parcourez le corps de votre partenaire du bout des doigts, tellement légèrement qu'il ou elle peut à peine les sentir. Vous pouvez aussi utiliser vos ongles très doucement. Ces effleurements sont particulièrement sensuels sur le dos.

LES MOUVEMENTS CIRCULAIRES

Posez la paume des mains sur le corps de votre partenaire et décrivez des mouvements circulaires. Ce massage élémentaire chauffe et détend les muscles.

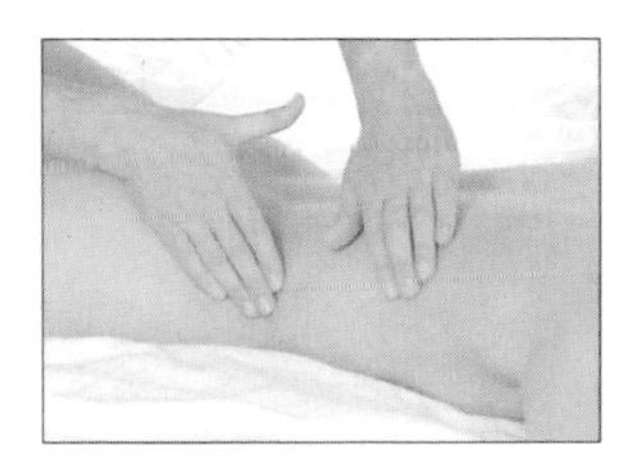

LES PRESSIONS DES PHALANGES

Repliez les doigts et utilisez les jointures pour masser le dos, les fesses et les jambes de votre partenaire.

LE MASSAGE ET LA PRESSION DES POUCES

Vous pouvez dénouer des muscles tendus en comprimant et en libérant successivement la région charnue concernée. Appuyez sur le point douloureux en décrivant de petits cercles avec les pouces.

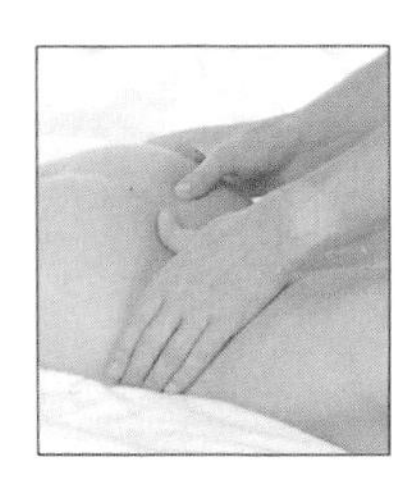

LE MASSAGE MUTUEL

Soyez tour à tour le partenaire actif ou passif. Commencez par un massage du dos, avec plusieurs intensités de pression, comme indiqué dans les pages précédentes, puis descendez vers les fesses, les cuisses et les mollets. Accordez de l'attention aux zones du corps moins sexuelles, comme les pieds, avant de masser les lèvres, les seins, les mamelons et les organes génitaux.

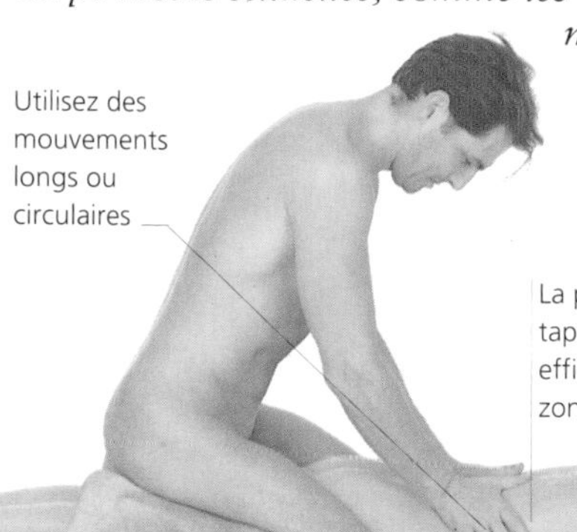

LE VISAGE

Effleurez les lèvres, les joues et le menton, et appuyez plus fermement sur les tempes, le front et les sinus.

LE CORPS

Utilisez tout votre corps pour caresser celui de votre partenaire. Le contact intime des corps ne doit pas se limiter aux mains : les lèvres, les seins, les organes génitaux, voire les cheveux, peuvent y participer.

Le fait de couvrir le corps de votre partenaire avec le vôtre est très excitant

Variez vos mouvements, tour à tour doux et sensuels, ou pressants et provocants

LE PIED

Commencez par appliquer une lotion sur le pied, puis utilisez votre paume pour replier doucement les orteils vers le haut ; attardez-vous sur la peau entre les orteils. Avec les phalanges ou la base de votre paume, massez la plante du pied. Augmentez progressivement l'amplitude de vos caresses jusqu'à ce que chaque mouvement couvre tout le pied ; laissez vos mains glisser sur sa surface. Puis prenez le pied dans une main et la cheville dans l'autre, et imprimez au pied plusieurs petites rotations.

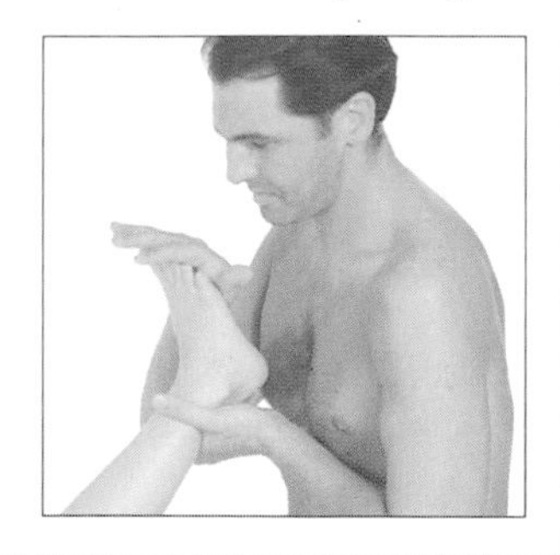

LA MASTURBATION RÉCIPROQUE

Le fait d'amener manuellement votre partenaire à l'orgasme peut constituer une alternative très satisfaisante à la pénétration : l'intimité de la relation sexuelle est intacte, de même que la jouissance, mais tout risque est éliminé, et chacun peut mieux contrôler les réactions de l'autre. Quand vous touchez ses organes génitaux, assurez-vous que cela lui est agréable : demandez-lui s'il ou elle désire que vous procédiez autrement.

Mettez votre main sur la vulve et décrivez de mouvements vibratoir

DONNER DU PLAISIR À UN HOMME

Commencez par presser doucement ses testicules, et promenez vos doigts de haut en bas de son pénis. Attardez-vous sur le gland et le frénulum, et imprimez à votre main un mouvement de plus en plus cadencé.

DONNER DU PLAISIR À UNE FEMME

Explorez doucement l'orifice vaginal et le périnée avant d'aborder le clitoris. Une petite pression et des mouvements circulaires augmentent l'excitation. Une fois qu'elle est lubrifiée, adoptez une allure régulière et rythmée.

LES PRATIQUES BUCCALES

Extrêmement intimes et érotiques, elles sont très agréables pour les deux partenaires. La langue et la bouche sont plus douces et plus souples que les doigts, et peuvent procurer une vaste gamme de sensations, qui culminent souvent en des orgasmes plus intenses.

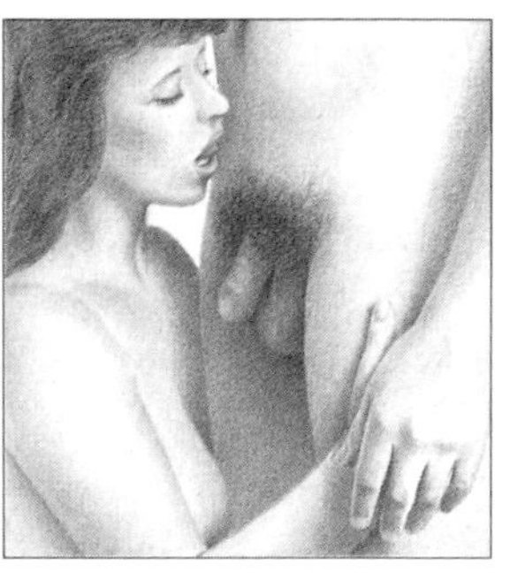

LA FELLATION

La femme embrasse, lèche et suce le pénis de l'homme en rythme, ce qui peut l'amener à l'orgasme.

LES PRÉLIMINAIRES

Commencez par embrasser et lécher doucement son corps, et titillez-le en retardant le moment d'aborder la région génitale.

ATTENTION

Une fois que vous avez son pénis en bouche, votre salive agit comme un lubrifiant naturel et, tant que vous recouvrez vos dents de vos lèvres et faites attention à ne pas le mordre, vous ne risquez pas de lui faire mal.

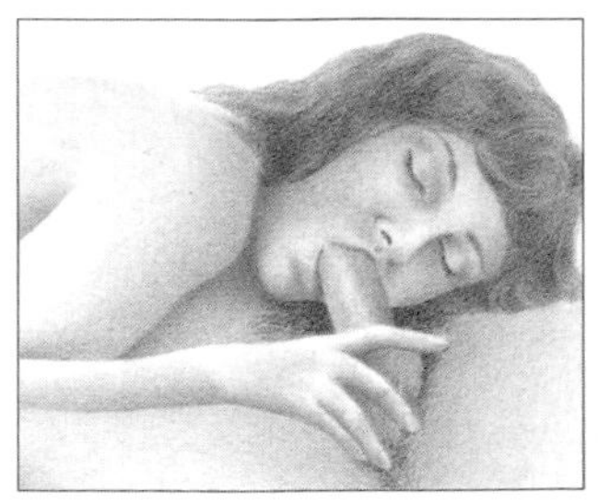

ACCROÎTRE LES SENSATIONS

Lorsque son excitation augmente, utilisez votre bouche et votre langue pour explorer la tête, le gland et le bord du pénis. Variez la pression de votre langue et léchez la face inférieure du pénis, en vous attardant sur le frenulum. Quand votre partenaire est très excité, imprimez à votre tête un mouvement de va-et-vient régulier.

Si vous ne souhaitez pas qu'il éjacule dans votre bouche, retirez-vous, et utilisez votre main ou guidez-le vers votre vagin

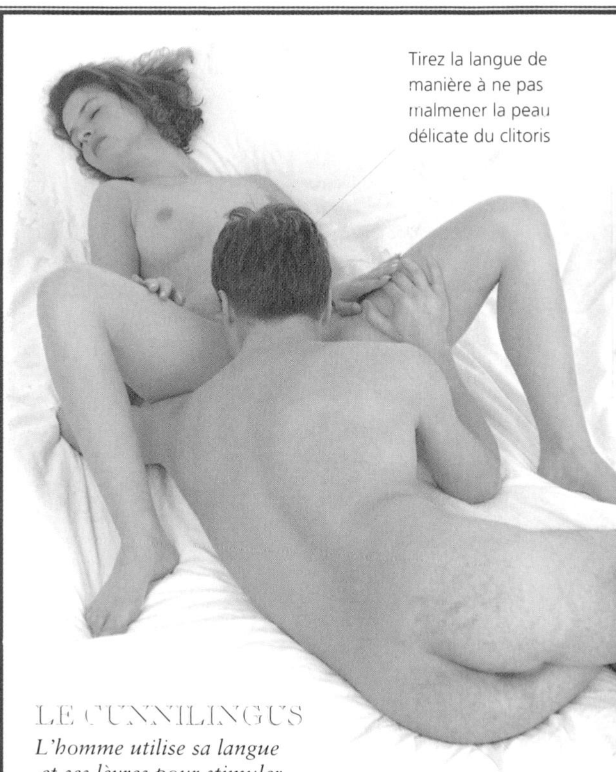

LE CUNNILINGUS

L'homme utilise sa langue et ses lèvres pour stimuler les organes génitaux de la femme et l'exciter, parfois jusqu'à l'orgasme. Couchez-vous entre les jambes de votre partenaire et provoquez-la en léchant doucement son clitoris.

EXCITER VOTRE PARTENAIRE

Attardez-vous à lécher, sucer et à titiller son clitoris et ses lèvres, en pénétrant de temps à autre son vagin avec le bout de la langue.

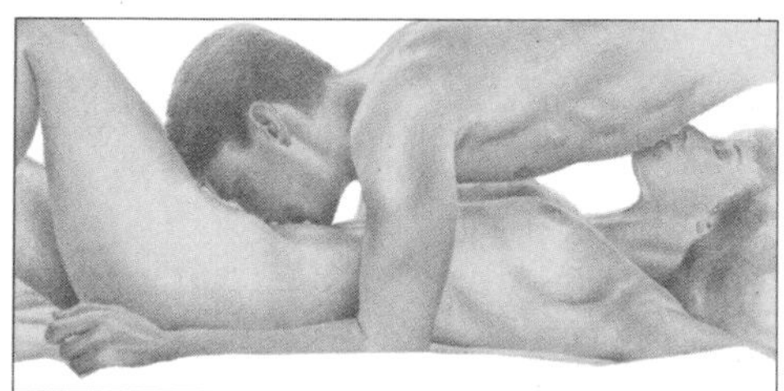

LE 69

Cette position de bouche-à-sexe permet aux partenaires de se lécher et se sucer réciproquement et simultanément. Pour certains couples, ce plaisir mutuel accroît leur excitation, tandis que d'autres trouvent qu'il les déconcentre, et préfèrent prendre leur plaisir tour à tour.

LES JEUX ÉROTIQUES

Les préliminaires doivent être excitants, surtout dans le cadre d'une relation ancienne où l'habitude peut émousser le désir. Suscitez l'intérêt sexuel et animez votre relation par diverses activités à connotation érotique. Vous pouvez provoquer et titiller votre partenaire de nombreuses façons ; le seul impératif est d'y prendre plaisir tous les deux.

Une écharpe, une cravate ou des rubans peuvent servir à lier les mains

HABILLÉS OU NUS

Le fait d'insister pour que l'un des partenaires reste vêtu tandis que l'autre est nu réveillera votre érotisme. Il peut être très excitant de passer la main sous des vêtements ou de frotter les étoffes contre la peau.

EN AVEUGLE

Augmentez la tension sexuelle de votre partenaire en lui prodigant des caresses qu'il ou elle ne peut pas voir avant de les ressentir.

LIENS EXQUIS

Il est extrêmement excitant de contraindre votre partenaire à la passivité. Utilisez une écharpe douce ou une cravate pour lier ses mains, puis glissez votre corps vêtu de manière provoquante contre le sien.

LES JEUX DE RÔLES

Bien qu'il ne soit pas nécessaire d'utiliser une foule d'accessoires pour vos joutes amoureuses, les déguisements peuvent rendre certains jeux plus réalistes, et donc plus excitants. Revêtir l'habit qui va avec le rôle peut inspirer des scenarii originaux. Ne vous sentez pas obligés de mettre une tenue de soubrette ou un uniforme ; les vêtements de tous les jours peuvent donner un bon résultat, surtout si, par exemple, vous jouez au séducteur blasé et votre partenaire à la vierge effarouchée.

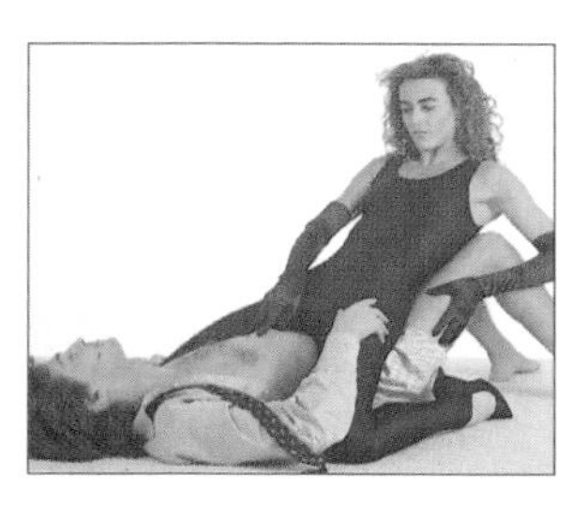

PROVOQUEZ-LE

Mettez des vêtements moulants révélant vos courbes, mais ne dévoilant que très peu de peau nue. Adoptez une technique de séduction nouvelle. Contrôlez les opérations et assurez-vous de prendre toutes les initiatives.

PROCÉDEZ LENTEMENT

Soyez doux mais ferme ; l'excitation est plus grande si votre partenaire joue à résister à vos caresses. Ayez des mouvements lents et érotiques ; ne la laissez pas vous bousculer. Regardez son corps comme si vous le voyiez pour la première fois ; donnez-lui cette impression.

DOMINEZ LA SITUATION

Ôtez-lui un vêtement après l'autre, quand vous sentez que vous avez « vaincu » sa résistance ; ne la laissez pas vous aider. Vous devez être persuasif, arrogant, et pénétrant pendant le rapport ; faites comme si elle découvrait les choses du sexe pour la première fois.

Donnez à chacun de vos mouvements une charge sensuelle

JOUER SUR L'ATTENTE .

La partie la plus importante de votre technique de séduction est l'attente. Suscitez constamment son impatience en approchant les mains de son pénis et en les éloignant à nouveau. Même si vous le masturbez, utilisez cette technique de chaud-et-froid pour provoquer une plus grande excitation. En même temps, provoquez-le en feignant de ne pas être excitée.

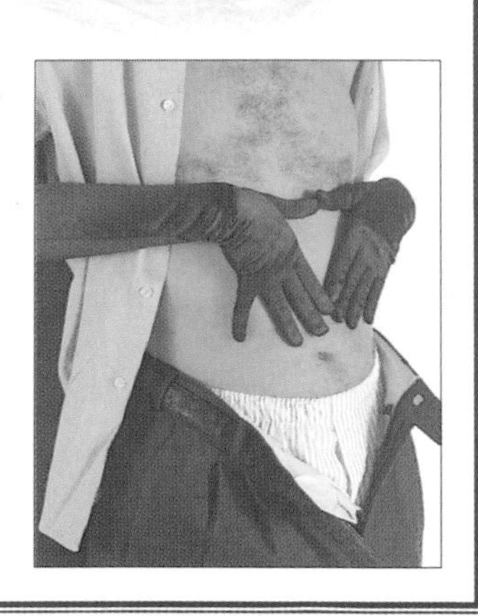

LES FANTASMES

Bien qu'il ne soit pas toujours facile de mettre en pratique certains de vos fantasmes, ceux-ci peuvent donner du piquant à votre vie sexuelle et une nouvelle énergie à votre relation. Tant que votre partenaire est d'accord et que personne ne souffre, la seule limite est votre imagination.

LA FEMME FANTASMATIQUE

Elle est jeune, insatiable et expérimentée, offerte, et vêtue en conséquence.

LES FANTASMES MASCULINS

Les personnages de partenaires expérimentées donnar des « punitions » reviennent souvent.

Au lieu d'infliger de réels sévices, feignez d'être dominatrice et menacez de faire mal

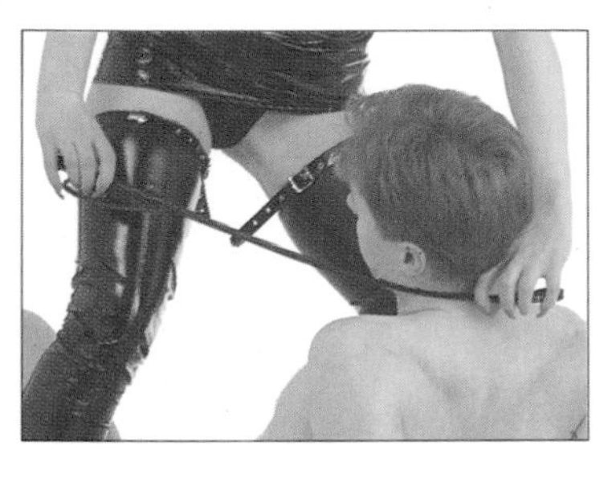

« FORCER » L'OBÉISSANCE

Vous pouvez utiliser une cravache d'équitation ou un fouet pour menacer votre partenaire et le contraindre d'adopter des positions soumises qui font de vous le personnage dominant.

LE PLAISIR DANS LA DOULEUR

Bien qu'il s'agisse d'un jeu psychologique, les partenaires peuvent le rendre plus réaliste en se déguisant et en utilisant des accessoires. Lanières, fouets et masques le rendent "impuissant" et font de lui votre esclave – dont vous pouvez faire ce qu'il vous plaît.

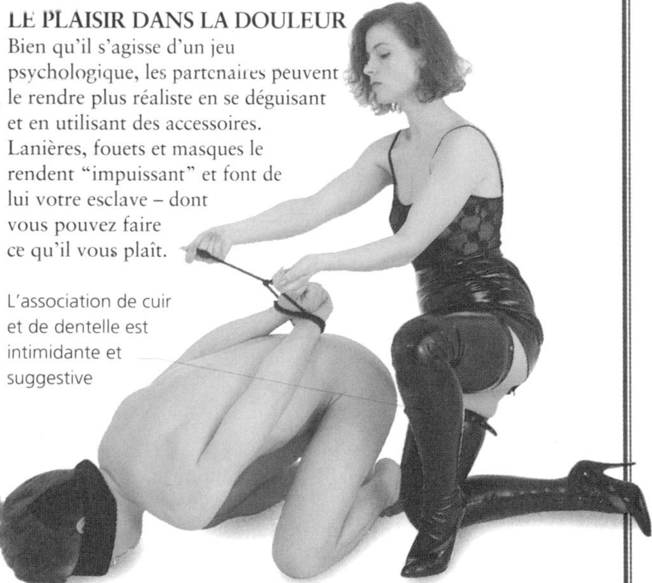

L'association de cuir et de dentelle est intimidante et suggestive

LES FANTASMES FÉMININS

L'anonymat occupe une place importante dans le fantasme féminin. L'idée de faire l'amour avec un étranger ou un amant de rêve permet à une femme de varier sa vie sexuelle sans menacer une relation établie.

L'HOMME FANTASMATIQUE

Un partenaire peut jouer sur le fantasme de son amante d'être prise dans l'obscurité par un étranger. Commencez le jeu de la séduction en abordant votre partenaire nue par derrière. Mettez doucement une main sur ses yeux et utilisez l'autre pour la caresser.

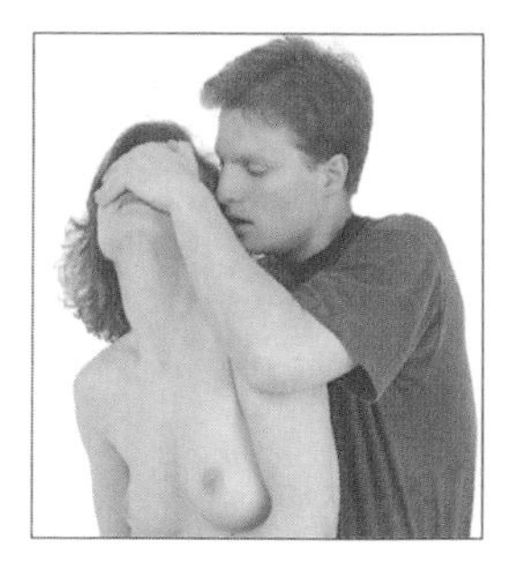

LAISSEZ-LA DEVINER

Dites-lui de garder les yeux fermés, mais ne dites rien d'autre pendant tout l'épisode. Soyez tendre mais ferme, et touchez-la d'une façon à laquelle elle n'est pas habituée.

Renforcez l'impression de spontanéité en gardant vos vêtements

chapitre trois

VARIATIONS SUR LE THÈME DE L'AMOUR

LES POSITIONS « LUI SUR ELLE »

La plus connue de ces positions est celle du missionnaire. Elle est populaire, car elle permet à l'homme une totale liberté de mouvement, des changements de position sans se retirer, et le maintien du contact visuel avec sa partenaire.

LE MISSIONNAIRE
L'homme est entre les cuisses de sa partenaire. C'est le membre actif du couple, car la femme dispose d'une mobilité restreinte.

LE BASSIN SURÉLEVÉ
Dans cette variante de la position du missionnaire, des coussins sont disposés sous les hanches de la femme, ce qui permet une pénétration un peu plus profonde, car le pelvis est incliné et le vagin plus accessible.

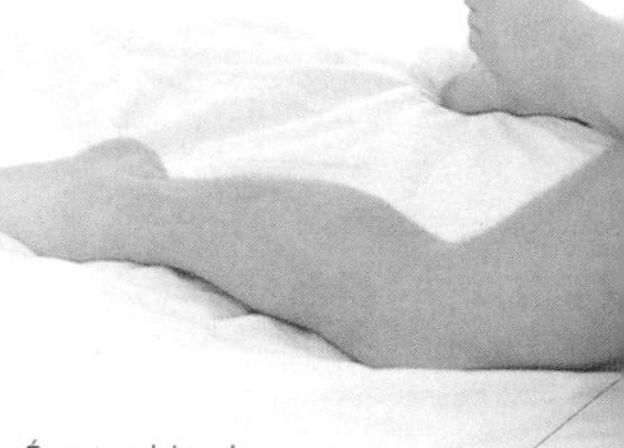

Écartez bien les jambes pour que votre partenaire puisse vous pénétrer plus profondément

LE ROULEMENT DE HANCHES

La femme serre les fesses, soulève et balance son bassin tout en poussant vers le haut. Ce mouvement peut accélérer l'orgasme.

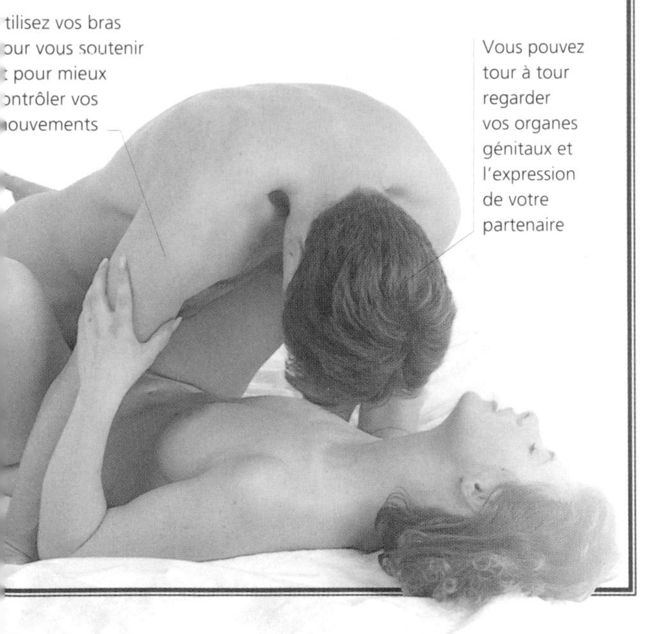

LES JAMBES LEVÉES

Selon la position de ses jambes, la femme a des sensations différentes. Le fait de les remonter vers son buste, par exemple, modifiera l'angle de pénétration. Plus elle est souple, plus les changements de position lui sont faciles. Elle peut commencer par cette position avant de poser les pieds sur les épaules de son amant ; cette dernière position nécessite toutefois une grande souplesse.

Appuyez-vous sur ses fesses pour vous soulever

LES PIEDS SUR LES ÉPAULES

Cette figure permet à l'homme une pénétration optimale de sa partenaire. Elle doit cependant être complètement excitée, pour que son vagin ait atteint sa longueur maximale.

Le fait de relever les jambes augmente la profondeur de la pénétration

Vous pouvez caresser ses oreilles, sa gorge et sa bouche avec votre langue et vos lèvres

À DES NIVEAUX DIFFÉRENTS

La femme est couchée sur le lit, les jambes levées, et l'homme à demi agenouillé sur le sol à côté du lit. Quand il pénètre sa partenaire, son pénis est parallèle à son vagin, ce qui provoque une sensation légèrement différente de l'abord habituel de haut en bas.

ELLE SUR LUI

Ces positions, qui permettent à la femme de prendre une part plus active dans le rapport amoureux, répondent aussi au besoin occasionnel d'un homme d'endosser un rôle plus passif. La femme peut décider du type et de la cadence des mouvements qui la satisfont le mieux, ainsi que de la profondeur de la pénétration.

LE MISSIONNAIRE INVERSÉ

La femme peut se soulever et se rasseoir sur le pénis de son amant pour provoquer l'orgasme. Le mouvement d'avant en arrière provoque une friction sur les parois vaginales et le clitoris.

Prenez appui sur vos mains pour vous soulever

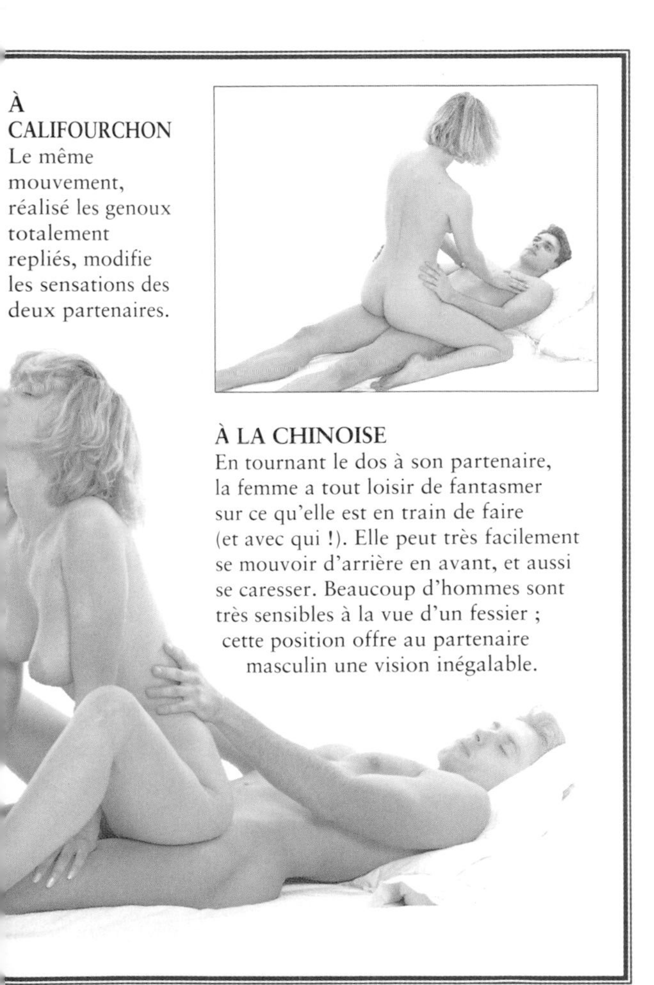

À CALIFOURCHON

Le même mouvement, réalisé les genoux totalement repliés, modifie les sensations des deux partenaires.

À LA CHINOISE

En tournant le dos à son partenaire, la femme a tout loisir de fantasmer sur ce qu'elle est en train de faire (et avec qui !). Elle peut très facilement se mouvoir d'arrière en avant, et aussi se caresser. Beaucoup d'hommes sont très sensibles à la vue d'un fessier ; cette position offre au partenaire masculin une vision inégalable.

COUCHÉE SUR LUI

Les pubis des partenaires sont parfaitement alignés, et la femme peut se balancer latéralement ou d'avant en arrière pour susciter le plaisir.

LA POSITION « DE LA GRENOUILLE »

La femme, en mettant ses jambes sur celles de son partenaire, peut prendre appui sur ses pieds et ses mains pour se soulever et s'abaisser. Elle est libre de ses mouvements, tandis que l'homme est dispensé de toute activité.

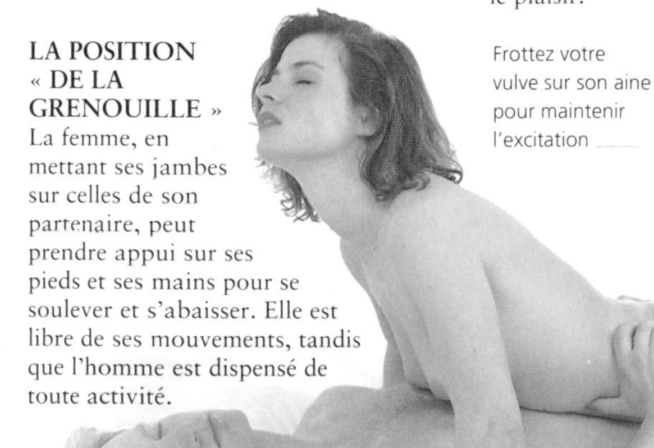

Frottez votre vulve sur son aine pour maintenir l'excitation

COUCHÉE SUR SES JAMBES

Le pénis de l'homme est étroitement serré entre les cuisses de sa partenaire, ce qui est très plaisant pour lui. La femme ne peut pas bouger, mais la verge de son amant stimule son clitoris. C'est une position agréable après l'éjaculation, car elle est confortable et intime, et permet aux partenaires de s'embrasser et de se caresser.

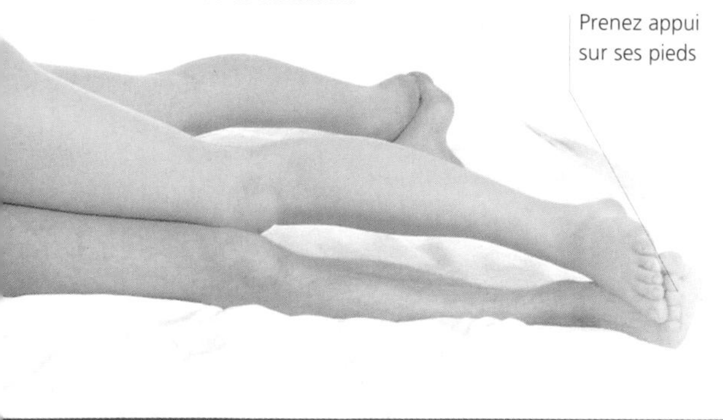

LES POSITIONS LATÉRALES

Ce type d'accouplements assure à la fois contact physique et liberté de mouvement. La position « en cuillers », en particulier, constitue une façon douce et relaxante de faire l'amour.

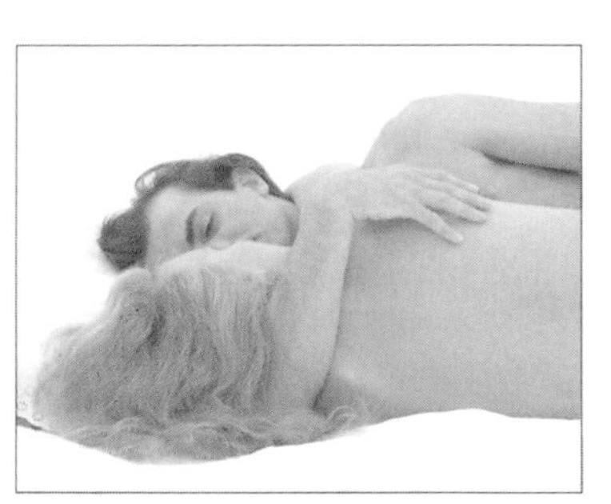

FACE À FACE

À partir de l'une des positions ventro-ventrales, vous pouvez vous tourner sur le flanc de manière à vous faire face. Pour une pénétrati plus profonde, la femme doit plier la jambe et la reposer sur celles de son amant.

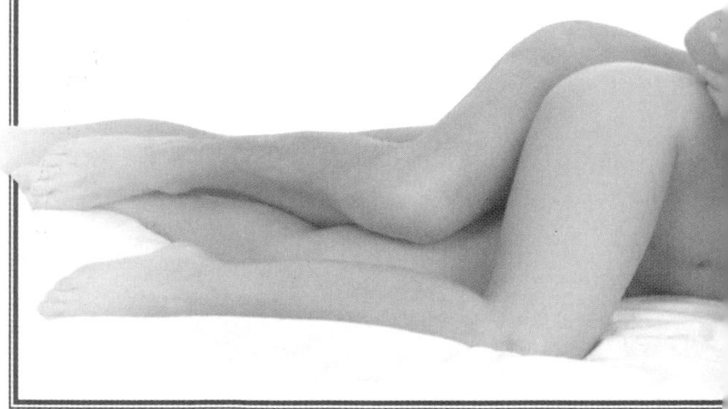

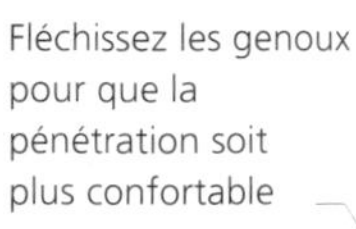

Fléchissez les genoux pour que la pénétration soit plus confortable

L'HOMME DERRIÈRE

La femme pivote sur la hanche pour faciliter la pénétration. Son partenaire peut toucher ses seins et son vagin ; une vaste gamme de caresses est donc possible, même si la stimulation du clitoris par le pénis est faible.

Vous pouvez caresser les seins et les mamelons de votre partenaire

LA POSITION « EN CUILLERS »

La femme est couchée sur le côté, les genoux fléchis ; l'homme suit les contours de son corps et s'y imbrique. Il peut caresser le buste de sa partenaire et embrasser sa nuque tout en pénétrant son vagin.

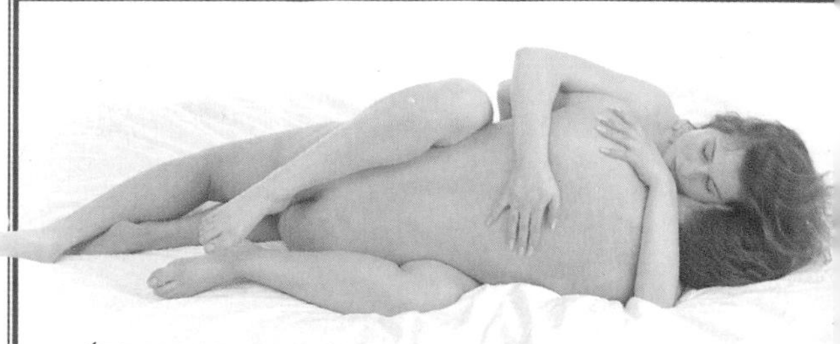

L'ÉTREINTE DES JAMBES

Les partenaires sont face à face, étroitement enlacés. La femme enserre la taille de son amant avec ses jambes ; celui-ci peut garder les jambes tendues ou en replier légèrement une (voir ci-dessus). S'il la remonte plus (ci-dessous), il peut pénétrer plus profondément, et pousser plus facilement. Les partenaires apprécient l'intimité physique et psychologique de cette posture.

Remontez les genoux assez haut pour enserrer les hanches de votre partenaire

COUCHÉE SUR LE DOS LES JAMBES RELEVÉES

La femme peut faire passer ses jambes sur les hanches de l'homme, qui introduit son pénis dans son vagin avec douceur. Pour l'y maintenir, la femme doit garder les jambes étroitement serrées.

Levez ou baissez la jambe pour modifier la profondeur de la pénétration

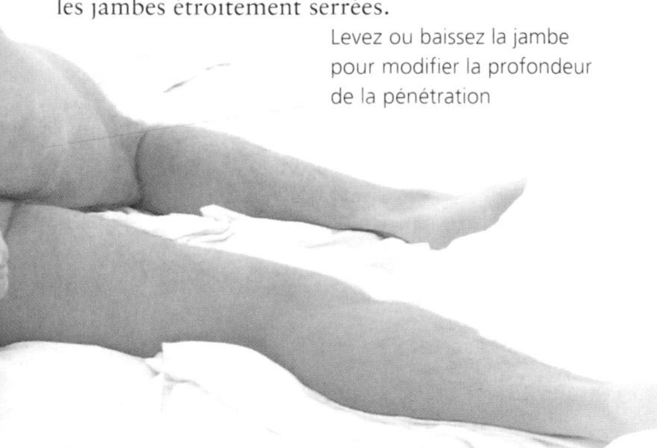

PAR DERRIÈRE

Comme l'homme bouge très peu, il lui est facile de contrôler son orgasme. La femme bénéficie de la pression sur le point G.

Attirez son corps vers vous pour parvenir au degré de pénétration souhaité

Frottez doucement votre cuisse contre sa vulve

LA FEMME SUR LE DOS

La femme se met sur le dos et écarte largement les jambes. Son partenaire insinue une jambe entre les siennes, pour que sa vulve soit plus stimulée pendant la pénétration. Il ressentira également une sensation différente.

POSITION LATÉRALE COMPLEXE

Quand les partenaires sont assez sportifs, une position ventro-ventrale latérale peut être modifiée de manière à ce que la femme, tout en gardant une jambe sur la hanche de son partenaire, s'écarte de lui. Il se sert alors du corps de la femme pour obtenir un contact génital optimal.

Vous pouvez vous coucher sur le dos et jouir des sensations

LES POSITIONS ASSISES

Bien qu'elles ne soient pas les plus rapides pour accéder à l'orgasme, elles favorisent l'intimité, car les partenaires se font face, sans rapport de dominant à dominé.

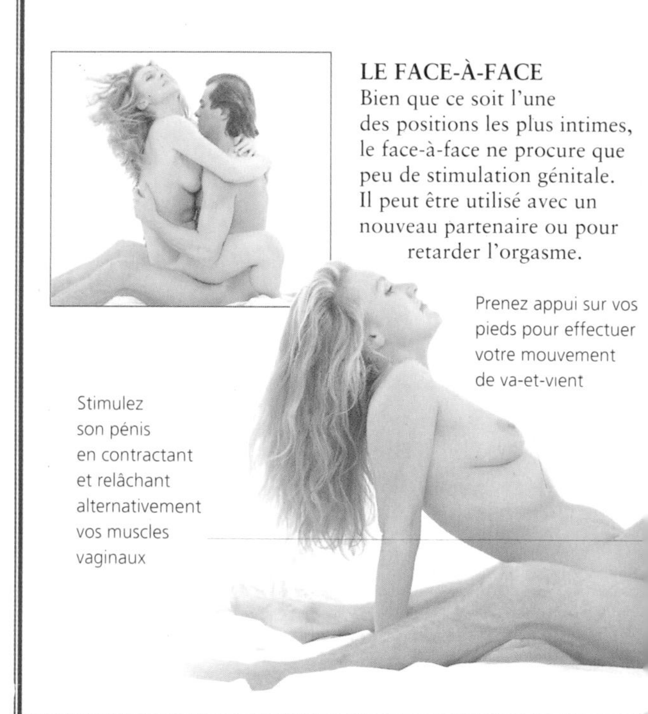

LE FACE-À-FACE

Bien que ce soit l'une des positions les plus intimes, le face-à-face ne procure que peu de stimulation génitale. Il peut être utilisé avec un nouveau partenaire ou pour retarder l'orgasme.

LA CHEVAUCHÉE

Les mouvements de l'homme sont limités, mais la femme peut appuyer tout son buste contre celui de son partenaire, et stimuler ses organes génitaux par un mouvement de va-et-vient ascendant.

ASSIS À DISTANCE

Vous pouvez adopter cette position dès le début, auquel cas les hanches de la femme doivent être plus hautes que celles de l'homme, où partir d'une position de missionnaire inversé. Dans cette situation, la femme remonte les genoux et s'accroupit sur l'homme avant d'étirer ses jambes derrière son dos. L'amant peut l'accompagner des reins. Appuyés sur leurs mains posées derrière eux, les partenaires ont une plus grande latitude de mouvement et peuvent mieux observer les réactions de l'autre.

ASSIS FACE À FACE

Cette position présente l'avantage d'une étroite intimité et d'une plus grande liberté de mouvement, puisque vous êtes sur une chaise. Si vous êtes souple, vous pouvez changer de position et vous lever, puis vous agenouiller. Terminez par une variante du missionnaire.

ASSIS LATÉRALEMENT

Si la femme se tourne sur le côté de la chaise, ses parties génitales peuvent être caressées par son partenaire ou elle-même. Elle doit toujours maintenir le pénis de son amant dans son vagin.

ASSIS EN POSITION VENTRO-DORSALE

L'homme ne peut pas beaucoup bouger dans cette position, sauf pour caresser les seins de sa partenaire. Celle-ci peut le soulager de son poids et donner le rythme en s'asseyant dos à l'homme et en gardant les pieds au sol. Elle peut alors effectuer un va-et-vient à sa guise, en s'appuyant sur les genoux de son partenaire si nécessaire.

Caressez ses seins

Appuyez-vous sur ses genoux pour vous soulever

À GENOUX

Ces positions, qui partent généralement d'une position debout, assise ou d'une variante du missionnaire, peuvent être adoptées pour varier le rythme du rapport et les sensations.

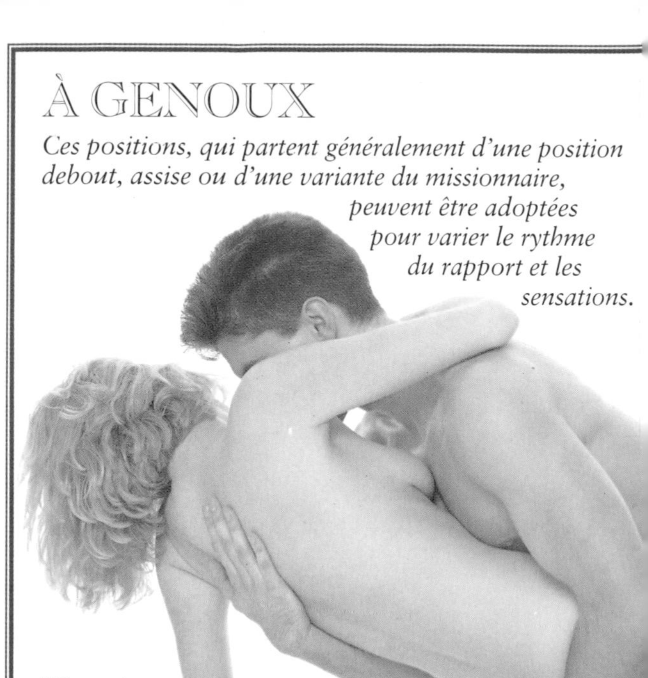

Utilisez votre bras pour vous appuyer et vous coller à votre partenaire

Agrippez ses fesses

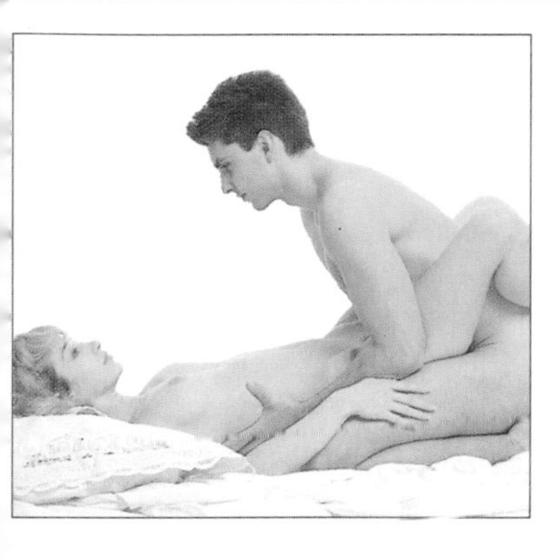

LE BASSIN SURÉLEVÉ

La femme est couchée et entoure de ses jambes le buste de son partenaire pendant qu'il la pénètre. L'homme la maintient sur les côtés pour la soulever et modifier l'angle et la profondeur de sa pénétration.

À GENOUX ET SOUTENU

Bien que cette position soit facile à adopter, elle peut s'avérer difficile à tenir. Utilisez-la en transition pour passer d'une position debout ou à genoux à une variante du missionnaire. L'homme doit être face à sa partenaire, puis introduire son pénis dans son vagin. Il attire ensuite sa partenaire à lui, soutenant pratiquement tout son poids avec ses bras et ses genoux.

Maintenez votre partenaire sur vos cuisses

ACCROUPIS

La femme prend le contrôle, car cette position ne permet pas à l'homme de pousser. Si elle a des jambes musclées, la partenaire peut effectuer un mouvement de va-et-vient ascendant sur le pénis de son amant – probablement pas très longtemps !

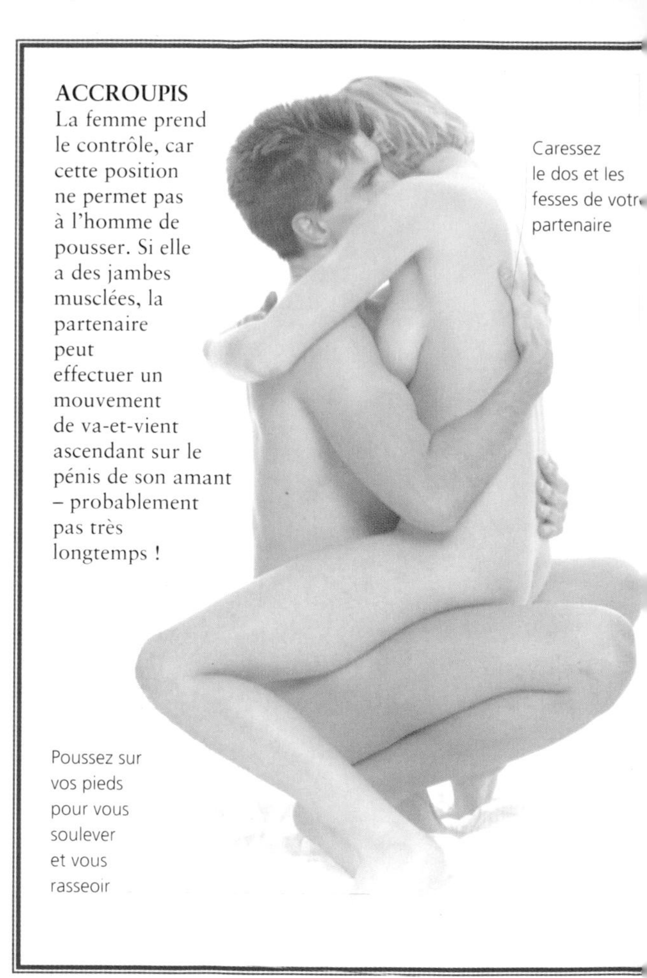

Caressez le dos et les fesses de votr[e] partenaire

Poussez sur vos pieds pour vous soulever et vous rasseoir

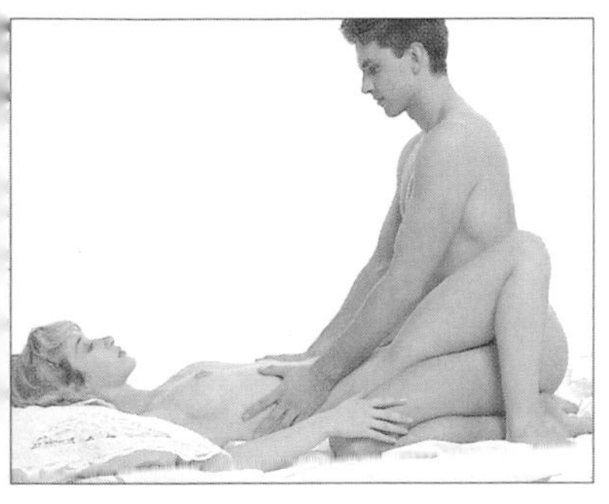

À GENOUX REDRESSÉ

En gardant ses pieds au sol, la femme peut balancer son pelvis de haut en bas pour stimuler l'homme. Celui-ci peut guider ses mouvements en lui tenant la taille.

LES CORPS PARALLÈLES

Les deux partenaires doivent s'agenouiller sur une surface molle. La femme glisse alors vers l'avant, en ouvrant ses cuisses pour s'asseoir sur son partenaire. L'homme peut aussi s'insinuer sous sa partenaire pendant la pénétration. Cette position offre peu de stimulation génitale, mais permet beaucoup de contact du buste et des baisers.

APPUYÉS SUR UNE CHAISE

Avec un point d'appui, les positions à genoux peuvent être plus confortables. Utilisez une chaise ou un sofa pas trop haut. La femme s'assied, enserrant la taille de son amant avec les jambes, pendant qu'il la pénètre. La femme peut aussi se coucher sur une table, et être pénétrée par son partenaire debout.

Vous pouvez dire à votre partenaire ce que vous ressentez, ou simplement le regarder dans les yeux

Gardez les jambes écartées et laissez votre partenaire vous soutenir

LES JAMBES LEVÉES

La femme appuie une jambe, ou les deux, contre le buste et les épaules de son partenaire, qui agrippe ses cuisses. Plus elle serre les cuisses, plus le pénis de l'homme est piégé. L'homme doit faire alterner des poussées légères et superficielles avec d'autres, plus profondes.

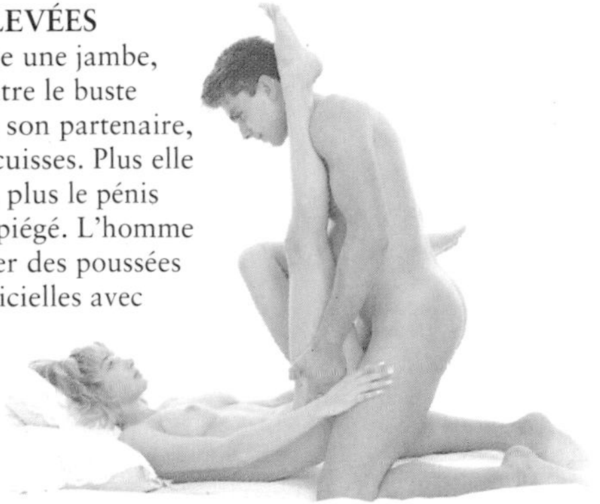

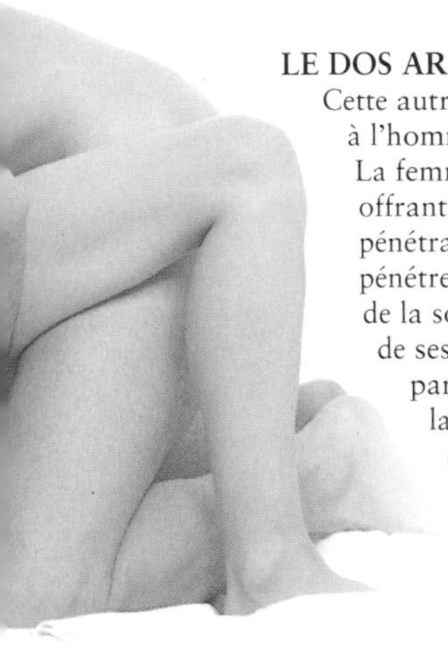

LE DOS ARQUÉ

Cette autre position permet aussi à l'homme une poussée profonde. La femme peut arquer son corps, offrant son vagin prêt à la pénétration. L'homme peut aussi pénétrer sa partenaire avant de la soulever jusqu'au niveau de ses cuisses, en la maintenant par les fesses. Il peut ensuite la faire bouger de haut en bas contre lui. C'est une position très provocante, mais probablement plus facile à réaliser pour une femme très souple.

LES POSITIONS DEBOUT

Idéales dans le cadre d'un rapport imprévu, lorsque vous ne souhaitez pas vous allonger ou vous dévêtir complètement, ces positions exigent cependant que les partenaires soient assez athlétiques. L'homme peut soulever sa partenaire pour l'amener à sa hauteur, ou la pénétrer par derrière, les deux amants restant debout.

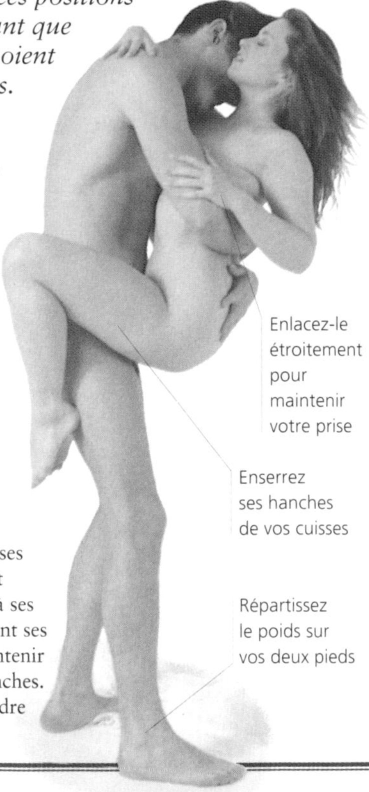

LE SUPPORT COMPLET

Un homme sportif peut tenir sa partenaire complètement dans ses bras. La femme peut l'aider en se tenant à ses épaules, et en utilisant ses jambes pour se maintenir à hauteur de ses hanches. Le couple peut prendre appui sur un mur.

Enlacez-le étroitement pour maintenir votre prise

Enserrez ses hanches de vos cuisses

Répartissez le poids sur vos deux pieds

LE FACE-À-FACE

Plus efficace lorsque les deux partenaires sont de taille équivalente, cette position sollicite beaucoup les parties génitales, mais la pénétration est peu profonde.

LE SUPPORT FLÉCHI

À moins que la femme ne soit nettement plus petite que son partenaire, celui-ci doit ajuster sa position de façon à répartir son poids de manière équilibrée. Il se tient debout, les jambes fléchies ; elle peut l'aider en croisant les jambes derrière le dos de son partenaire.

Le fait de passer vos jambes derrière son dos contribue à répartir votre poids

LE CHARME DU DOS

Quand l'homme se tient derrière sa partenaire, le changement de position rend de nouvelles zones accessibles à la stimulation, et les caresses les plus simples deviennent originales et plus excitantes pour les deux partenaires. La nuque de la femme se présente à son amant, qui peut aussi lui caresser les seins et le clitoris. La femme peut frotter ses fesses contre le corps de l'homme.

LA CROUPADE

La pénétration est profonde, et l'homme bénéficie d'une liberté de mouvement totale. Cette position plaît à beaucoup de femmes, car elle procure une stimulation intense de la paroi antérieure du vagin.

PAR DERRIERE

L'homme attire la femme à lui et la pénètre par derrière. Plus la femme se penchera, plus la pénétration pourra être profonde. L'idéal est que les partenaires soient à peu près de la même taille. Si la femme est beaucoup plus petite ou plus grande que son partenaire, il pourra fléchir les genoux ou au contraire se tenir sur la pointe des pieds.

LES POSITIONS DORSO-VENTRALES

Diverses variantes sont possibles : debout, assis, à genoux ou couché. Elles n'impliquent pas forcément une position dominante pour l'homme ; dans plusieurs cas, la femme peut prendre les initiatives et contrôler le rythme du rapport.

COUCHÉS
La femme peut cambrer son dos et soulever le corps, ou rester à plat ventre, serrer les jambes ou les écarter.

EN « LEVRETTE »
L'homme peut pénétrer profondément et avoir une liberté de mouvement totale. Certaines femmes trouvent cette position très excitante, d'autres se sentent vulnérables.

ASSIS

La femme s'asseoit sur le pénis de l'homme assis, en s'appuyant sur ses bras. Comme dans toutes les positions dorso-ventrales, la femme reçoit une intense stimulation de la paroi antérieure du vagin.

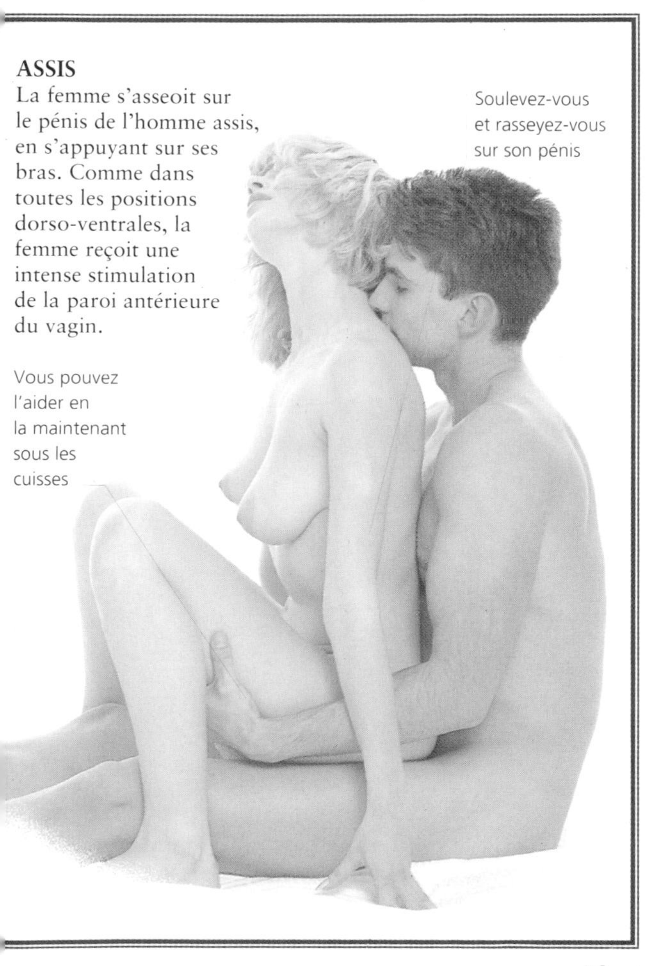

Soulevez-vous et rasseyez-vous sur son pénis

Vous pouvez l'aider en la maintenant sous les cuisses

LA « LEVRETTE » REDRESSÉE

Plutôt que de s'appuyer sur le sol, la femme s'appuie sur un lit ou une chaise. Le pénis reste naturellement aligné avec le vagin, mais l'homme a plus de facilité à lui caresser les seins.

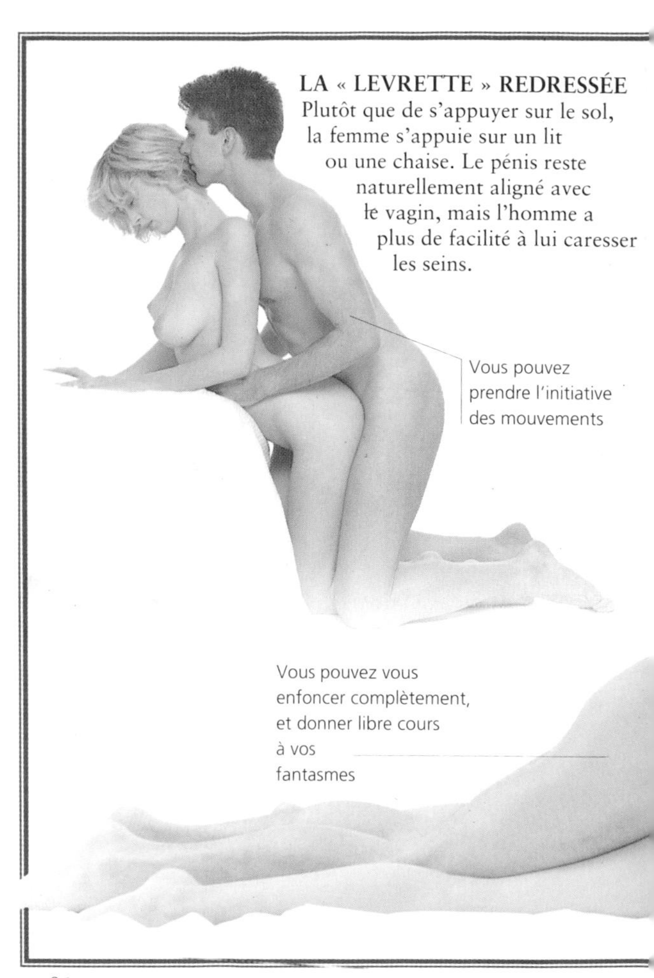

LA « LEVRETTE » SOUTENUE

Cette position se pratique sur un lit ou au sol. Des coussins soutiennent le poids de la femme qui, en écartant bien les jambes, peut présenter son vagin tourné vers le haut.

LUI SUR ELLE

Les positions dorso-ventrales favorisent le fantasme féminin, car le fait d'être prise par derrière en excite beaucoup. Les hommes trouveront aussi du plaisir à cette approche qui renforce leur sentiment de domination, accroît leurs sensations et augmente leur stimulation visuelle.

Vous pouvez trouver très excitants le sentiment de vulnérabilité et les fantasmes que suscite cette position

LES POSITIONS COMPLEXES

Il est souhaitable de se livrer à des expériences sexuelles, et ce pour plusieurs raisons. Si vous voulez que vos rapports continuent à vous combler, il faut qu'ils soient variés. Par ailleurs, il arrive que l'état physique ou les préférences d'un partenaire exigent de déroger à la routine. Ces postures plus sportives peuvent procurer des sensations nouvelles et excitantes, tant que les deux partenaires sont en accord.

Le "X"

En partant d'une variante du missionnaire inversé, la femme peut se reculer lentement de son partenaire jusqu'à s'asseoir entre ses jambes. Si elle est agile, elle peut garder le pénis dans son vagin pendant toute la manœuvre.

Beaucoup de positions complexes vous confèrent le rôle le plus actif

La réussite de cette position dépend de votre agilité

LE CRABE

La femme s'asseoit sur son partenaire en lui tournant le dos ; une fois le pénis dans son vagin, elle se penche en arrière.

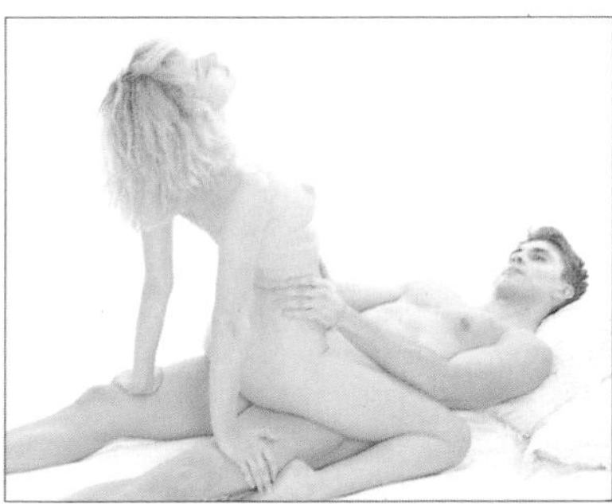

Si le pénis glisse, vous pouvez le prendre en main pour le masturber

ELLE SUR LUI

La femme peut donner le rythme du rapport en prenant un rôle plus actif et plus libre. Elle peut essayer des changements de position, se cambrer en arrière et serrer les jambes sur les côtes de son partenaire, en prenant appui sur ses mains.

Le contact visue
nécessaire pour
juger des réacti
de votre parten

LUI SUR ELLE

À partir d'une variante du missionnaire, l'homme ramène ses jambes vers l'avant et s'asseoit. Pendant que sa poussée est réduite, sa partenaire peut plus facilement frotter sa vulve contre son aine.

À GENOUX ET SOUTENU

En partant d'une variante du missionnaire, l'homme saisit fermement sa partenaire et, tout en se mettant à genoux, lui fait ramener les jambes sur ses cuisses. La femme peut l'aider en se tenant à son cou.

AU BORD DU LIT

Dans cette position idéale pour contrôler l'éjaculation, la femme peut se détendre complètement pendant que l'homme donne le rythme.

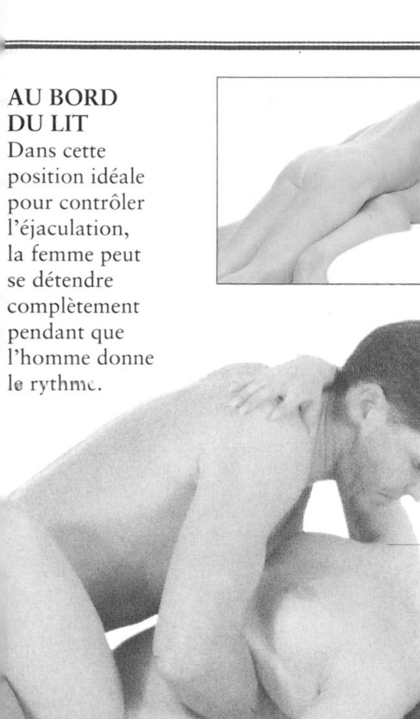

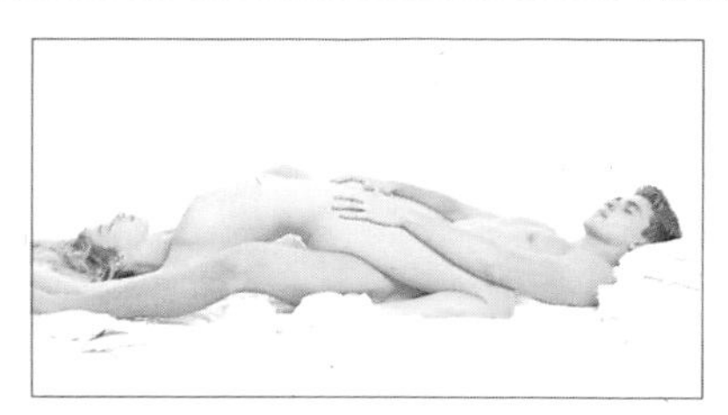

LES « CISEAUX »

Cette variante du missionnaire inversé favorise la stimulation manuelle du clitoris.

LA « LEVRETTE » DEBOUT

L'homme peut pénétrer la femme debout ou penchée en avant. Pour y parvenir, la femme peut se rehausser par des coussins, ou l'homme plier les genoux.

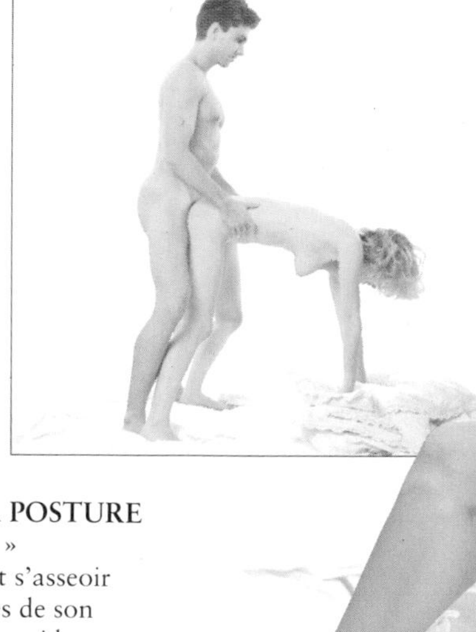

VARIANTE DE LA POSTURE « À LA CHINOISE »

Une femme agile peut s'asseoir sur les cuisses relevées de son partenaire. De là, elle guidera le pénis vers son vagin. Elle peut ensuite se lever et se rasseoir dessus, ou adopter un mouvement latéral.

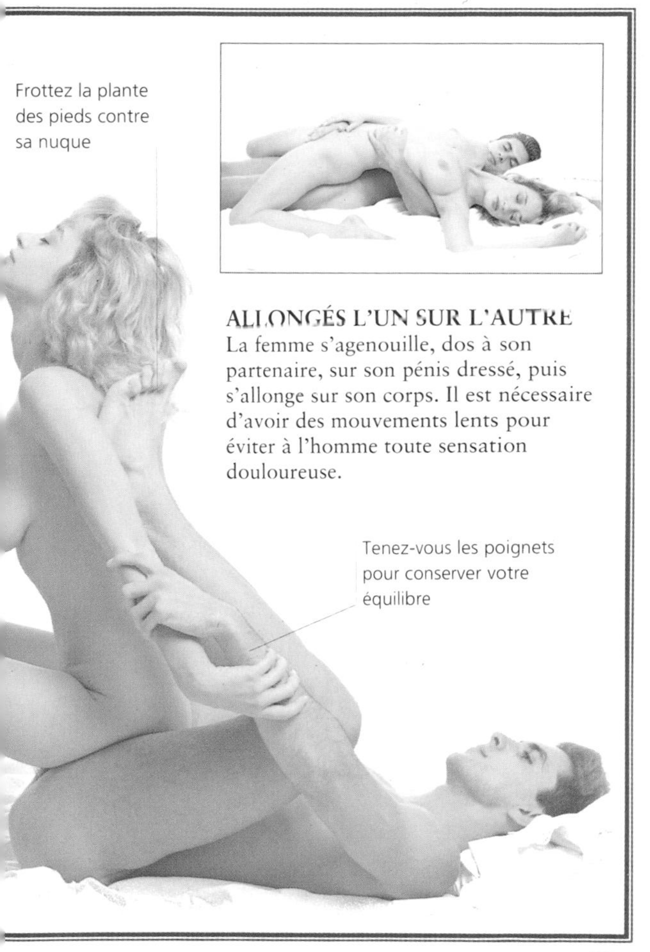

ALLONGÉS L'UN SUR L'AUTRE

La femme s'agenouille, dos à son partenaire, sur son pénis dressé, puis s'allonge sur son corps. Il est nécessaire d'avoir des mouvements lents pour éviter à l'homme toute sensation douloureuse.

LE TANTRISME

La philosophie orientale de Tantra a pour but l'obtention d'une excitation sexuelle plus forte et prolongée. Elle repose sur des caresses sensuelles, qui vous aident à vous concentrer sur le corps de votre partenaire et vos propres réactions, et sur un rapport très lent, au cours duquel le pénis pénètre et se retire tour à tour du vagin.

PAR DERRIÈRE

Dans cette position, l'homme contrôle facilement la force et la profondeur de sa pénétration. Il peut masturber sa partenaire jusqu'à l'orgasme quand il est prêt à jouir ; les contractions de la femme provoqueront alors son propre orgasme.

Entrez et retirez-vous souvent, mais lentement

LE MISSIONNAIRE

L'homme peut se retenir d'éjaculer trop tôt en abaissant doucement ses testicules ou en appuyant sur son frenulum.

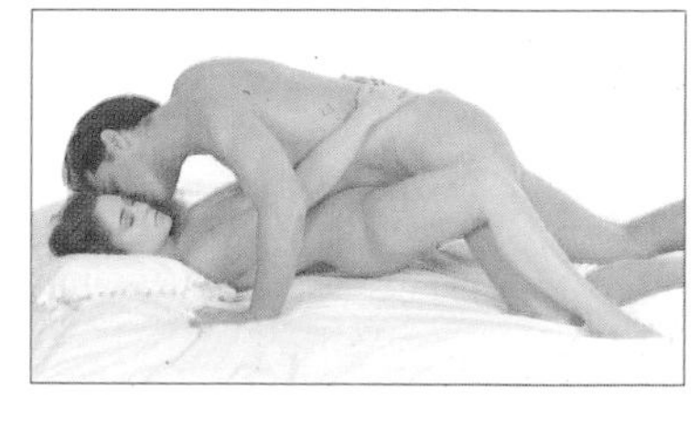

ELLE SUR LUI

L'homme provoque l'orgasme des deux partenaires en levant et serrant les fesses tout en balançant les hanches. La femme doit contracter ses muscles anaux et vaginaux pour accroître la sensation.

Bougez toujours lentement et avec sensualité

LA FLANQUETTE

Dans cette position, l'homme peut avoir une pénétration peu profonde sans pousser. Entre les pénétrations, le pénis repose sur le clitoris.

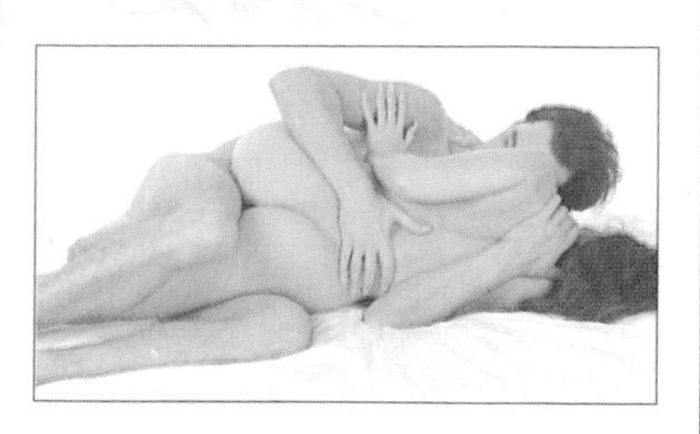

INDEX